열일하는 과금기사

열일하는 과금 기사 4

초판 1쇄 발행 2022년 1월 27일

지은이 | 박건
발행인 | 신현호
편집장 | 이호준
편집 | 송영규 최종건 정재웅 양동훈 곽원호 조정범 강준석 최성화
편집디자인 | 한방울
영업 | 김민원

펴낸곳 | ㈜ 디앤씨미디어
등록 | 2002년 4월 25일 제20-260호
주소 | 서울시 구로구 디지털로 26길 111 JnK디지털타워 503호
전화 | 02-333-2513(대표)
팩시밀리 | 02-333-2514
E-mail | papy_dnc@dncmedia.co.kr
블로그 | blog.naver.com/gnpdl7

ISBN 979-11-364-2970-4 04810
ISBN 979-11-364-2823-3 (SET)

박건 판타지 장편소설
4
Papyrus Fantasy Story
열일하는
파국기사
PAPYRUS
파피루스

chapter1.

스턴트 배우는 소드마스터

chapter1.
스턴트 배우는 소드마스터

[발칸 오크 요새(일반~희귀)의 헬 난이도가 공략되었습니다!]

[조건을 우선 완료한 길드부터 공성전을 신청할 수 있습니다!]

[초라한 토성(일반)이 등장합니다!]

[초라한 토성(일반)을 멀끔한 벽돌성(고급)으로 업그레이드 합니다!]

[멀끔한 벽돌성(고급)을 훌륭한 요새(희귀)로 업그레이드 합니다!]

[훌륭한 요새(희귀)를 완벽한 요새 도시(영웅)로 업그레이드 합니다!]

단박에 70,000다이아를 쏟아부어 성을 영웅급까지 끌어올렸다.

'다이아가 펑펑 터져 나가네. 앞으로 점령할 성이 수두룩한데 말이야.'

그러나 돈이 아깝다고 성을 업그레이드하지 않을 수는 없는 일이다. 병사들이 앞으로 몰려올 빙계 몬스터들을 상대하려면 반드시 성을 끼고 싸워야 했으니까.

어쭙잖게 고급이나 희귀 등급의 성을 끼고 있다가 함락이라도 되면 상황이 심각해진다.

"숫자도 평균 수준도 부족한 상황에 지형적으로라도 압도해야 하니까."

나는 영주성에서 빠져나와 중앙 광장으로 내려왔다. 요새 도시 형태의 성에는 인기척 하나 없다.

공성전이 끝나며 오크들 전부가 사라져 버렸고 오크들이 잡아 두고 있던 인간도 없었기 때문이다.

'혹 있더라도 다 죽었겠지.'

강건한 오크들도 사시나무 떨 듯하던 추위를 보통 사람이 견딜 수는 없었을 것이다.

콰쾅!

그때 남쪽에서 굉음이 울려 퍼진다. 그 정체를 짐작하기는 어렵지 않다.

'골렘이군.'

사라진 것은 오크들뿐이고 빙계 몬스터들이 그대로 남

았다. 녀석들이 던전 클리어 후 성 밖으로 밀려났다가 다시 달려와 성문을 후려치고 있는 모양이다.

"어디 보자…… 스틸스톤과 헌드레드에게 채팅."

[20주 → 8주]

채팅이 연결되며 주식이 줄어든다.

그리고 그 상태로 말한다.

한재연 : 공성전을 마치고 성을 지었다. 도착과 동시에 북문을 통해 성으로 진입. 수성전을 준비하도록.

스틸스톤 : 성의 모습을 확인했습니다.

헌드레드 : 최대한 서두르겠습니다.

답변을 듣고 남문으로 향한다. 서두르지는 않았다. 영웅급 성문은 그리 쉽게 파괴되는 물건이 아닌데다가.

그곳에는 수문장이 있었다.

"크아아아아아!"

피투성이가 된 예티가 괴성을 내지르며 발광한다. 녀석은 스스로의 상처에도 아랑곳 않고 달려들어 사람 머리통만 한 주먹이 벼락같은 기세로 휘둘렀다.

그 기세는 실로 흉흉해 야생 곰이라도 일격에 때려죽일 만했지만.

쩍!

낭창낭창 휘어지는 레이피어가 주먹을 쳐 낸다. 2.5미터가 넘는 덩치의 예티가 거짓말처럼 휘청거린다. 한 동작으로 주먹을 쳐 낸 칼끝이 마치 물을 거슬러 오르는 물고기처럼 팔을 따라 솟구친다.

핏!

예티의 머리통에 작은 구멍이 뚫린다.

"죽어! 건방진 계집……!"

냉기를 휘감은 설녀가 저주의 울음을 토해 내며 달려들었지만 휘둘러지는 검격에 비명도 지르지 못하고 찢겨진다.

설녀 같이 반쯤 영체에 가까운 존재들에게 검기는 실로 치명적인 위협이었다.

"잘 싸우네."

냉기를 다루는 녀석들답게 빙계 몬스터들은 꽤 효과적인 방법으로 해자(垓字)를 넘었다. 얼음 다리를 만들어 성문까지 다가온 것이다.

그러나 그렇게 다가와 성문을 때리던 엘리트 몬스터들은 성문 앞에 서 있는 수문장에게 썰려 나가고 있다.

'소드 마스터라…….'

그녀가 클래스를 부여받자마자 환골탈태하고 소드 마스터가 된 것은 나로서도 의외의 일이었다.

'단지 기억을 얻는 것만으로 경지가 오른다는 건 여러

모로 미묘하고…… 어느 정도 동기화가 이뤄진 건지도 모르겠군.'

헤이즈는 듀얼리스트 클래스를 얻으면서 직업 고유 스킬을 전부 습득했고 그것들을 너무나 잘 활용하고 있다. 하기야 그 스킬들의 원형이 그녀 자신의 기예였을 테니 당연한 일이리라.

팟!

벼락처럼 파고들어 아이스 엘리멘탈의 핵을 뚫어 버린다.

쩍!

아이스 골렘의 발목을 잘라 내 균형을 무너트리고.

콰득!

두꺼운 몸통에 레이피어를 찔러 넣어 단박에 침묵시킨다.

"후우……."

어느새 성문 앞은 소강상태에 빠졌다.

너무도 압도적인 무위(武威)에 아이스 엘리멘탈들도 쉽사리 덤비지 못한다.

"성문 연다."

"아! 너 왔어? 와, 듣긴 했지만 진짜 신기하다. 이만한 규모의 성이 마술처럼 나타날 수 있다니."

그그극!

인터페이스를 조작하자 성문이 열린다. 성문 앞에 대기

중인 수천 단위의 몬스터를 생각하면 미친 짓이지만, 나도 그녀도 전혀 신경 쓰지 않는다.

쿵! 쩌적!

성문 겸 도개교가 내려와 얼음 다리를 깨부순다. 헤이즈는 날렵하게 측면으로 돌아 내 옆에 섰다.

그녀의 얼굴이 빨갛게 상기되어 있다.

"나 엄청 강해졌어! 심지어 예전보다 더 강한 것 같은데? 와! 레벨이 올라서 스텟 포인트라는 것도 생겼어."

"클래스를 얻은 건 처음인가 보네."

"당연하지! 완전 죽다 살다 박박 기면서 도달한 경지거든?"

몬스터를 잡아 클래스 카드가 나올 확률이 1억분의 1이니 어쩌면 당연한 일이었다.

수십만이 넘는 플레이어가 자동 사냥을 돌려 매일같이 일천에서 일만 마리의 몬스터를 잡는 리벤지에서도 쉽게 드랍되지 않을 정도니 여신의 가호조차 없는 아르데니아에서는 더 심하겠지.

"적의 공격을 쳐 내면 움직임이 빨라지는 게 진짜 미쳤다. 거기에 이 스킬이라는 건…… 지금이면 칸 슬래셔 녀석하고 싸워도 이기겠는데?"

흥분한 그녀의 모습에 웃는다.

"문제는 그보다 더한 놈들과 싸워야 한다는 거지."

"그건! 그건…… 그러고 보니 그러네."

잔뜩 흥분했던 헤이즈가 시무룩해진다.

나는 녀석의 어깨를 토닥여 준 뒤 앞으로 나섰다.

휘오오오!

헤이즈에 의해 엘리트 몬스터가 싹 쓸려 나간 아이스 엘리멘탈들이 파도처럼 밀려온다.

바닥에 착 깔려 오는 싸늘한 냉기에 살얼음이 끼는 모습이 보인다.

"일직선…… 아주 좋네."

수인을 맺는다. 그리 길지도 복잡하지도 않은 네 동작짜리 수인.

신체(身體), 가속(加速), 중문(重門) 개방(開放).

신체가속(身體加速).

꽤 대중적인 차크라 술식이 발현되자 몰려오던 아이스 엘리멘탈들의 움직임이 느릿해진다.

나는 느려진 시간 속에서 인벤토리의 뼈 장검(일반)을 꺼내 들었다. 내공이 주입되자 뼈 장검이 파르르 떨린다.

[치명타!]

날아간 뼈 장검이 맨 앞에 있던 아이스 엘리멘탈의 핵을 부수며 나아간다.

그 뒤에 있던 녀석은 머리에 맞았고, 그 뒤의 녀석은 어깨에 맞았고, 그 뒤의 녀석은 가슴팍에, 그 뒤의 녀석은 어깨에 스쳤다.

그 뒤 녀석은 다시 머리. 그 뒤 녀석은 맞지 않았다. 땅과 수평으로 던졌다고 생각했던 뼈 장검이 점점 고도를 높여 하늘로 솟구쳤기 때문이다.

'아, 각도를 조금 낮춰서.'

두 번째 뼈 장검을 쏘아낸다. 스무 마리의 엘리멘탈을 가르고 지나간 뼈 장검은 땅에 처박혀 버렸다. 마지막 순간 튀어 오른 돌바닥의 파편이 가질 살상력도 기대해 볼 만한 것이지만 너무 짧은 사거리가 아쉽다.

'이번에는 회전을 높여서.'

세 번째 뼈 장검을 던진다. 땅과 수평을 이루고 빙글빙글 돌며 전진하는 검.

그리고 그 즈음.

[소리]가 도착했다.

뻐------엉!

공기가 터져 나가며 파괴된 아이스 엘리멘탈의 파편이 사방으로 흩어진다. 그러나 신경 쓰지 않는다.

중요한 것은 하나다.

'어떻게 해야 뼈 장검을 땅과 수평으로 가장 멀리까지 날릴 수 있을까?'

세 번째 뼈 장검이 150미터쯤 날아가 허공으로 솟구쳐 버렸다. 검이 회전하며 발생한 상승 기류 때문이었다.

'그렇다고 회전을 너무 줄여도 문제야. 충돌의 여파를 이기지 못하고 방향이 틀어져 버린다.'

지금이야 적이 워낙 많으니 상관없지만, 명중률이 떨어진다는 것은 별로 반가운 일이 아니다.

'좀 더 낮은 지점에서 던지면…….'

던진다. 던지고 또 던진다.

그리고 그러다 답을 찾아낸다.

[검기 발현]

깨달음이 아닌 스킬로 만들어진 검기는 뼈 장검에서 손을 떼기가 무섭게 사그라져 1초 만에 흔적조차 없이 사라진다.

'1초.'

뼈 장검이 700미터는 날아갈 시간이다.

빵! 빵! 빵!

콰과과!

몰려오던 냉기의 해일은 여기저기 구멍이 뚫려 무너져 버리고 곳곳에 새겨진 긴 스크래치와 뒤집힌 땅으로 인해 주변 경관이 엉망으로 변한다.

이 모든 것이 고작 수초 내에 일어난 일이었다.

그러나 그 결과 마지막 뼈 장검은 몬스터들을 일직선

으로 긋고 지나가 저 멀리 있는 몬스터의 몸통에 박힐 수 있었다.

"후…… 성공. 500미터는 너끈하다."

"……."

고개를 돌려보자 입을 떡 벌리고 있는 헤이즈가 보인다.

"목젖 보인다."

"아, 아니…… 이게 뭐야? 완전 괴물 아냐?"

"엔간한 괴물보다 힘이 더 세긴 하지."

나는 오른손을 탁탁 털었다. 연속된 투척으로 오른팔 전체가 멍이 들어 있다. 심지어 손끝은 투척 시 압력을 이기지 못하고 터져서 피가 줄줄 흐르고 있다.

"아니…… 이건 내가 생각한 싸움이 아닌데."

"뭔 상상을 했기에?"

"고절한 검술을 보여 줄 거라 생각했지. 대륙 최강의 검공이라는 천룡검공을 병사들에게도 공개하고 스타라이트 후작가의 수련법을 옆에서 보는 것만으로 완전히 파악해 수정했던 천재 검사가 바로 너 아냐?"

"……."

"아! 너무 강해지니 오히려 검술이 필요 없어지다니!"

"……."

아무래도 헤이즈가 나에 대한 큰 오해를 한 모양. 그러나 해명하려는 순간 텍스트가 떠오른다.

[알 수 없는 이유로 체력이 1포인트 상승하였습니다!]

[알 수 없는 이유로 생명력이 1포인트 상승하였습니다!]

"좋네. 골병이 아니라 단련이 되다니. 무슨 생체력 수련자도 아닌데."

나는 인벤토리에서 송편을 꺼내 먹었다.

[쑥 송편(고급)를 섭취하였습니다! 4시간 동안 회복력과 마나 회복력이 100포인트 증가합니다!]

'아, 거의 떨어져 가네. 설날 떡국 이벤트가 희망이었는데, 물량이 별로 안 되니.'

다행히 설날에도 음식 이벤트가 있었다.

그 대상은 바로 떡국!

그러나…… 내가 얻을 수 있었던 떡국은 고작(?) 수천 그릇에 불과했다.

'수만 그릇 넘게 얻었던 송편과는 비교가 안 돼.'

사실 송편의 드랍률은 버그에 대응했던 패치의 결과물로 플레이어들이 바닥에 송편을 마구 버리는 상황은 결코 운영진의 의도가 아니다.

'이제 와서는 굳이 패치할 필요도 없어 그냥 놔두는 것이지.'

이후 등장한 떡국의 드랍률은 당연히 정상이었기에 버려지는 물건이 많지 않았다. 박박 주워 모아도 물량에 한계가 있다.

'여기에서도 이벤트가 있으면 좋을…… 아니 가만?'

문득 떠오르는 생각에 입을 연다.

"잠깐 쉴게, 성문 좀 막아 줘."

"맡겨 둬."

걸어 나가는 헤이즈의 뒤태를 잠시 감상하다 중얼거렸다.

"채팅 삭제."

[8주 → 20주]

그리고 그 상태에서 말한다.

"추석 송편 이벤트를 가동시키고 싶다."

내 말에 20주가 삽시간에 0주가 되었다가 다시 20주가 되었다. 불가능하다는 뜻.

그러나 나는 한 가지 사실을 깨달았다.

'속도가 다르다.'

주식은 한 번에 줄어들지 않는다. 10주가 바로 0주가 되는 게 아니라 9주. 8주. 7주. 이런 식으로 0주까지 줄어드는 것.

즉, 주식이 줄어드는 속도를 계산하면…… 이 힘. [패치]에 필요한 주식량을 역산할 수 있다.

"어디 보자."

아예 자리에 앉아서 계산했다. 6주가 필요한 채팅의 소모 시간을 기준 삼아 다른 패치 사항을 읊어 보았다.

결과는 금방 나왔다.

"추석 이벤트를 하는 데…… 약 1만 2000주."

참고로 지금 네메시스의 주식 하나가 천만 원을 넘었다.

즉, 패치를 위해 필요한 주식의 가치는.

"먹고 죽으래도 없다…… 미친놈들아……."

최소 1,200억이다.

"하."

기막혀 한숨 쉬다 문득 깨닫는다.

"가만 그러면 NPC는? 도시 하나에 상점 NPC를 두려면 얼마나 필요하지?"

내 말에 주식이 또 0까지 줄어들었다가 원래대로 돌아온다.

계산이 순식간에 완료된다. 아까보다 속도가 훨씬 느렸기 때문이다.

"34주!"

고작 3억 4천만 원!

감동의 눈물이 흐른다.

그야말로 선녀 같다.

'물론 이 선녀의 손을 잡는 것도 쉬운 일이 아니겠지만.'

결론은 언제나 그랬듯 똑같다.

돈을 더 벌어야 한다.

'아, 대체 언제까지 더 벌어야 하냐…….'

갑작스레 몰려오는 현타에 괴로워하는 동안에도 상황은 척척 진행된다. 헤이즈가 남문의 몬스터를 완전히 몰아내고 3만의 군세가 성에 진입한 것이다.

나는 새로운 성의 이름을 [홈타운]이라 지었다.

'이러니 저러니 해도 내 세력이 시작한 곳이니까.'

성에 도착한 병사들은 그들은 미리 정해 놓았던 작전 계획에 따라 일사불란하게 움직였다. 정해진 인원들이 부지런히 움직여 수성 준비를 하고 가져온 물자를 분배했다.

나는 그들이 부지런히 움직이는 동안 홈타운 성에 감시탑과 마나 포탑, 그리고 식수를 얻을 수 있는 대형 분수를 설치했다.

'원래 분수는 이런 용도가 아니지만…… 우물 같은 설치물이 없으니.'

중앙 광장에 줄줄이 솥이 걸리고 모두가 모여 저녁을 먹었다. 이후 병사들은 분대별로 건물을 정해 그곳에 머물렀다.

영웅 등급 성에 지어지는 건물들은 기본형이라 해도 깨끗한 벽돌로 지어지는 데다 뛰어난 보온 기능을 가지고 있어 쌀쌀한 추위에도 힘들어하는 이들이 없다.

그렇게 하루가 지나고.

홈타운 남문이 열리고 병사들이 줄줄이 쏟아져 나간다.

"출진한다!"

"출진이다! 방심하지 말고 이동해!"

공성전에 유리한 궁수와 마법사 2천과 1만의 일반병이 남아 홈타운 성을 지켰다.

그들은 서문을 통해 공격하는 빙계 몬스터들이 쌓이지 못하게 처리하며 홈타운 성을 일종의 전진 기지로 활용할 것이다.

그리고 그런 홈타운 성으로 와일드 보어 성과 스타팅에서 훈련된 후속 부대들이 계속 합류하게 되겠지.

"전방에 몬스터 등장!"

"약 천칠백 마리입니다."

"전투 준비!"

홈타운에서 출발한 8천의 정예병과 1만의 일반병이 분주히 움직인다.

당연한 말이지만 주력은 정예병이다. 일반병의 역할은 수송이나 전투 보조로 일반병들은 충분한 군 생활을 수행하며 경험을 쌓거나 공적을 세워야 병장, 혹은 하사가 되어 정예병에 편입되게 된다.

쿠쿠쿠쿵!

전열(戰列)이 맞부딪힌다. 대형 방패를 든 탱커들이 조금의 두려움 없이 온몸의 무게를 실어 아이스 엘리멘탈과 충돌한다.

여신의 가호가 쌓이는 대로 던전을 돌고 충분한 레벨과 스텟을 확보한 탱커들의 방어는 그야말로 철벽.

'거기에 스킬까지 있지.'

길드 레벨 6레벨에 해금된 9종의 희귀 스킬은 모두 스텟과 관련된 패시브 스킬들이고 9개의 기본 직업(3전사, 3도적, 3술사)에 한 개씩 주어졌다.

그중 탱커, 정확히는 실더들에게 주어지는 스킬은 이것이다.

탱크 바디(희귀)(패시브)

전장에서의 경험을 통해 끈질긴 생명력을 얻었습니다.

[상세 효과]

생명력+50

심플하지만 실로 막대한 효과.

전열의 탱커들은 빠짐없이 이 스킬을 익히고 거기에 더해 6강화 냉기 수호의 반지까지 장비하고 있다. 병종 중 가장 많은 투자를 받은 존재들이니 쉽게 무너질 리 없다.

"찔러!"

"밀어내!"

직업 군인으로서 매일 훈련만 시킨 보람이 있는 듯 병

사들은 몬스터들의 공격에 전혀 흔들리지 않았다.

오히려 방패 사이사이에서 튀어나온 검과 창이 몬스터들의 숨통을 끊어 냈다.

가끔 엘리트 몬스터. 그중에서도 방패병들이 막아 내기 힘든 아이스 골렘 따위의 녀석들이 난장을 피우려 들었지만.

빼엉!

대기를 찢어발기며 쏘아진 뼈 장검에 박살 나 흩어진다. 녀석뿐만 아니라 그 뒤에 있던 수십의 몬스터가 쓸려 나갔다.

"성주님께서 함께하신다!"

"와아아!"

병사들이 용기백배하여 고함을 내지른다.

나는 적당한 수준에서 힘을 조절하며 뼈 장검을 던졌다. 회수할 생각도 하지 않는다.

'뼈 장검은 얼마든지 있으니까.'

와일드 보어 성에서 생산되는 멧돼지 고기에 비례해 뼈 장검도 쏟아져 나오고 있다. 이미 와일드 보어 성에서는 뼈 장검이 너무나 흔해서 가구 재료나 건설 자재로 쓰일 정도라니 더 말해 봐야 무엇하겠는가?

"대단해. 피해가 하나도 없어."

"이 정도 숫자 차이에 엘리트 몬스터를 다 컷하고 있는데 피해가 있으면 안 되지."

클래스를 부여받고 스킬과 장비까지 갖춘 병사들은 이 중세 랜드에서 흔히 생각하는 [강병]의 수준을 아득하게 넘어서는 존재다.

농담이 아니라 하나하나가 신입 기사와 맞먹는 전력이니 내가 없었어도 그리 큰 피해 없이 목적지까진 전진할 수 있었을 것이다.

"전투 종료!"

"전투 종료!"

"드랍템들을 한곳에 모으고 1시간 뒤 다시 출발한다!"

병력이 계속해서 남하한다.

드문드문 모여 오는 몬스터를 격파하고 중간중간 멈춰서 식사를 하고 휴식을 취한다.

서두르지 않았다. 시간을 들여 싸우고 충분히 휴식했다. 덕분에 병력들은 물론이고 나 역시 최상의 상태를 유지할 수 있었다.

—크아앙!

천룡음이 터지자 야영지를 꾸리고 있던 병사들이 슬쩍슬쩍 훔쳐본다.

나는 손뼉을 쳤다.

"빨리 배우네. 역시 경지가 경지라는 건가?"

내 칭찬에 가벼운 옷차림의 헤이즈가 쓰게 웃었다.

"네가 예전에 가르쳐 줬던 구결 중 일부가 이거랑 겹치잖아. 아니 아무리 그래도…… 이거 너무 뛰어난데? 이걸 진짜 병사들한테도 가르쳐 준 거야? 스타라이트 수련법이 쓰레기처럼 느껴질 정도라니."

"사실 쓰레기는 맞지."

장난스러운 내 말에 헤이즈가 울컥하는 표정을 짓더니 투덜거린다.

"너 진짜…… 하. 부정할 수가 없어서 슬프네. 솔직히 경지빨로 사용하는 거지, 검공의 요체는 전혀 파악이 안 돼. 이런 신묘한 수련법이라니."

놀라워하는 헤이즈를 보며 잠시 고민한다.

"흠. 설마 천룡검공을 익힐 생각이야?"

"당연하지. 설마 이런 수련법을 두고 스타라이트 수련법을 쓰라는 거야? 어차피 환골탈태하면서 오러. 아니, 내공이 완전히 흐트러졌어. 내공 중 태반이 이 클래스 카드인가 뭔가하고 스텟 포인트로 이뤄져 있어서 어차피 새로 익혀야 할 상황이야."

"그럼 일단 익히지 말아. 다른 걸 가르쳐 줄 테니까. 천룡검공은 장검식이라서 너랑 안 맞을 거야."

내 말에 헤이즈의 표정에 경악이 깃든다.

"이만한 수련법이 또 있다고?"

"잠깐 시간이 필요해. 그래…… 내일 저녁에 알려 줄게."

"……."

우리는 낮에 이동하고 밤에 쉬며 계속 이동했다. 처음에는 좀 버벅거리던 병사들도 별다른 피해 없이 승리를 반복하자 안정을 찾아갔고, 헤이즈는 내가 현실에서 외워 온 찰나결(刹那訣)을 낮이고 밤이고 정신없이 파고들었다.

그리고 그렇게 4일 후.

우리는 100킬로미터를 남하해 다음 목적지에 도착했다.

[얼음 여왕의 낙원(고급~영웅)]

빛의 기둥, 그리고 그 아래에 우글우글 모여 있는 몬스터들이 보인다.

“으…… 추워.”

“이제 여름인데 이게 무슨…….”

일반병들이 투덜거리는 소리가 들린다. 추위를 예상하던 만큼 다들 옷을 껴입고 온 상황이지만 비정상적인 기온은 인간의 신경을 건드리기 마련이다.

‘뭐 그래도 이 정도면 영하 5도 정도다. 못 견딜 정도는 아냐.’

물론 해가 지면 기온이 더 떨어질 테니 야영을 하기에는 썩 좋지 않은 날씨.

그러나 상관없다.

“오늘 저녁은 성에서 잔다. 돌진.”

내 말에 깃발병이 정해진 신호를 보낸다. 사실 채팅으

로 해결해도 되는 문제였지만 늘 내가 지휘하는 것도 아니니 기존 절차를 따라야 한다.

"은십자 기사단! 검을 들어 너희의 용맹을 증명해라!"

"하!"

"강철 방패 기사단! 적을 밀어 넘어뜨리는 철벽이 되어라!"

"충!"

기사단이 움직이기 시작한다. 말이 좋아 기사단이지 얼마 전까지만 해도 병사, 농부, 심지어 결혼해 아이를 돌보던 아낙이었던 이들이다. 누군가 그 구성을 안다면 그야말로 오합지졸이라고 평가했겠지.

그러나 그들의 전력은 똑같이 클래스와 장비를 소유한 다른 정예병들과도 차원이 다르다.

'재능을 가진 이들이니까.'

그들은 오러를 깨우친 이능력자들! 야만의 세상에서 평생 힘을 갈망해 온 그들이 밥 먹고 죽어라 수련만 했으니 그 성취는 절대 적지 않다.

심지어 그들 대부분이 성장이 빠르기로 유명한 쾌진공의 수련자들이 아닌가?

이미 마나 유저의 경지에 들어선 그들은 보너스 스텟으로 마나량을 늘려 기존 기사들을 뛰어넘는 전투력을 가지고 있다. 몬스터들이 아무리 단단히 뭉쳐 있어도 막을 수 없는 전력!

그리고 무엇보다……

"하---하-! 하하하! 어디 한번 막아 봐라----!"

그들의 맨 앞에 마창을 든 소드 마스터가 있었다.

"운도 좋지…… 어디서 저런 게 튀어나왔는지."

어지간한 남성보다 더 무지막지해 보이는 여기사가 전장을 휩쓰는 모습이 보인다. 당연하지만 그 어떤 몬스터도 그녀를 막아서지 못했다. 녀석들이 헤이즈를 잡으려면 포위망을 좁힌 후 차륜전을 통해 수의 폭력을 행사하는 수밖에 없는데 그녀의 뒤로 인간의 군세도 밀려가는 상황이기 때문이다.

두두두두!

고급 등급의 탑승 펫에 탑승한 기사들이 달려 나가고 그 뒤를 보병이 뒤따른다.

지금까지와 다르게 몬스터들이 달려들지 않고 던전을 지키고 있었기에 방패병은 천천히 전진시키고 기사단의 공격으로 전투를 시작하는 것이다.

나는 녀석들과 몬스터들이 충돌하기 전에 엘리트 몬스터 몇 놈에게 뼈 장검을 던져 준 뒤 내 옆에 대기 중이던 병사에게 말했다.

"방패."

"네, 성주님."

내 말에 대형 방패를 든 방패병 넷이 서로의 방패를 이어 사각형을 만든다.

나는 가볍게 몸을 날려 그 한가운데에 뛰어들었다. 베

리언트 레인저의 능력인 [어둠의 관측자]의 조건. [1분 이상 관측되지 않을 시 코스트 없는 중급 은신.]을 발동하기 위해서였다.

나는 모두의 시야에서 가로막힌 장소에서 가만히 서 있다가 이내 은신이 발동된 것을 느꼈다.

"열어."

내 말에 방패 사이가 벌어진다.

나는 그 틈으로 나와 전쟁터를 가로지르기 시작했다.

"어? 뭐지? 뭐가 지나갔는데……."

"집중하고 앞이나 봐! 얼음 창이 날아온다!"

몇 예민한 병사들이 내 기척을 느끼기는 했지만, 워낙 혼란스러운 전장이었기에 별문제 없이 던전까지 도착할 수 있었다. 둔감한 아이스 골렘과 달리 예티와 설녀가 기척을 느끼고 두리번거렸지만 헤이즈가 뛰어들어 난장을 치자 빈틈을 드러낼 수밖에 없었다.

팟!

[얼음왕국]

던전 안으로 들어간다. 얼음으로 만들어진 건축물로 가득 찬 던전 안은 텅 빈 교실만큼이나 휑하다. 드넓은 공간에 놀라울 정도로 인기척이 없었다.

팟!

그때 아무것도 없던 허공에서 아이스 엘리멘탈이 나타난다.

우우웅--!

아이스 엘리멘탈의 코어에서 한 차례 서늘한 냉기가 뿜어져 나온다. 녀석은 그대로 던전의 한가운데 있는 빛의 기둥으로 들어갔다.

던전을 나간 것이다.

'던전 안에 머물지 않는다. 리젠 즉시 달려 나가는군.'

나는 녀석을 따라 도착한 빛의 기둥 옆에 멍하니 서 있는 존재를 보았다.

둔중한 아이스 골렘(희귀)

락스타

'희귀급이 보스 몬스터라…….'

내 입장에서야 고마운 일이지만 사실 좀 기묘한 일이었다. 이 던전의 원주인인 스톰 오크족의 보스는 영웅급이기 때문이다.

'즉, 점령당한 던전은 보스가 없는 던전이나 다름없는 상황이 된다는 건가…… 던전마다 얼음 여왕이 있는 것보다는 낫지만…… 흠. 뭔가 반대급부가 있을지도 모르니 조심해야겠다.'

그렇게 생각하며 검을 뽑아 든다.

상대는 고작 희귀급, 신성 포효도 필요 없다.
검기 발현.
그그극!
이제야 기척을 느낀 아이스 골렘이 황급히 몸을 튼다.
그러나 늦었다. 검은 이미 녀석의 핵을 쪼개고 있었으니까.
쿵.
아이스 골렘이 쓰러진다. 우리 한 길드 연맹이 얼음 여왕의 턱 끝에 칼을 들이미는 순간이었다.

* * *

"아, 아쉽네요. 재연 씨만 한 야간이 없었는데."
"정말 그만둘 거야? 아, 한씨 힘도 좋고 성실해서 마음에 들었는데!"
편의점과 웅녀 철강을 그만두었다. 편의점에서야 별거 없었지만, 웅녀 철강에서는 나름 퇴직금도 받았다.
그리고 그렇게 확보한 시간에 글을 썼다.

[와우! 갤럭시님께서 드래곤 스톤 40만 개를 후원하셨습니다!]
〈고뇌가 부족함 나름대로 괜찮.〉

[와우! 오메가님께서 드래곤 스톤 54만 개를 후원하셨습니다!]

〈업이 모자람. 아쉽.〉

"……대체…… 뭐 하는 사람들이지?"

샤인 라이트 영웅 전기만큼 막대한 후원은 아니지만 그렇다고 무시할 수준도 아닌 후원이 이어졌다.

그리고 후원을 받은 것은 나뿐이 아니다.

[두벌식 글쟁이 : 5,300만 원짜리 후원을 받았어요!]

아니, 이게 대체 뭐죠? 제가 무슨 연예인도 아닌데 무슨 이런 후원이 들어와요…… 제 작품이 5년째 쓰고 있는 작품이긴 해도 대단한 인기 작품도 아닌데…….

후원 메시지도 [꽤 괜찮] 이라고 심플하게 왔더라고요. 세 글자에 이렇게 눈물이 날 줄은 몰랐네요…… 작가 생활 계속할 수 있을지 의문이었는데…… 정말 정말 정말 감사합니다!

[피닉스 : 드래곤 슈터가 12만 드래곤 스톤. 그러니까 1,200만 원에…… 노블리스 오블리제가 8만 드래곤 스톤, 강철 함대가 15만 드래곤 스톤을 후원받았습니다.]

오룡넷에 왔다 깜짝 놀랐습니다. 저는 나름대로 잘 나가는 웹소설 작가라 생각해 왔지만 이 정도의 후원은 처음이라…….

가장 잘나갔던 전작하고 전전작. 그리고 처녀작까지 후원받았어요.

특이한 게 후원을 하는 게 꽤 여러 독자분이시고 한 작품에 두 번 후원이 들어오는 일은 없는 듯합니다.

작가들끼리 연락을 돌려보니 후원받은 분들이 꽤 있는 모양인데…… 와. 정말 감사합니다만 대체 무슨 일이죠? 우주 용병으로 활동하던 어르신 팀이 지구로 귀환해서 웹소설을 파기 시작했나요?

소설판에 기쁨 섞인 비명이 터져 나오고 있다. 정체불명의 후원가 집단 때문이다.

도대체 돈이 얼마나 많은 건지 후원 수준이 상상을 초월했고, 그 액수는 작품의 기존 인기와 아무런 상관이 없었다.

그리고 그 대표적인 사례가 내 작품들이었다.

↳노아 : 와. 후원 랭킹 단박에 1등! 아니 이게 말이 돼요? 특히 이 샤인 라이트 영웅 전기인가는 총 후원액이 3억 88만 원인데 3억이 한 명이 한 후원이에요.

↳마나짭쫄 : 뭔가 하고 읽어 봤는데…… 완전…… 지루한…… 틀딱소설…… 누가 여기다 3억 후원을 한 거지 무슨 탈세용인가……

↳잠만자요 : 킬리언스님 축하드려요! 인기는 없어서 아

쉬웠는데 정말 잘 쓴 글입니다! 글의 진가를 알아주시는 분이 있었나 봐요!

완벽한 마이너 소설로 랭킹 게시판에 들어갈 일이 없던 샤인 라이트 영웅 전기가 후원 랭킹 1위에 오르고 나머지 작품들도 순위권에 들었다.

이 정체불명의 후원이 얼마나 큰 충격이었는지 커뮤니티마다 아주 시끄러웠다.

"어디 보자……."

나는 커뮤니티들을 돌아다니며 정보를 모았다. 소설가들에게 후원을 해 준 후원자의 숫자는 대충 17명이고 후원액은 100억 즈음이다.

"와, 100억."

놀랍다.

신화 클래스도 뽑을 수 있는 돈이다.

"아니, 이게 아니라."

머리를 털어 잡념을 지우고 후원자들의 패턴을 살폈다.

지금까지 확인된 후원자의 숫자는 17명. 아이디는 M-4, 갤럭시, 오메가, 알렉산더 순으로 공통점이 없다.

후원하는 작품들은 대체로 진지하고 공들여 쓴 작품들로 액수는 최소 100만 원에서 최대 3억까지.

대체적으로 무명의 작품들이 후원받았지만, 최고의 인

기를 끌고 있는 작품이 후원받기도 했다.

그리고 한 번 후원한 작품은 두 번 다시 후원하지 않는다.

'이상한 사람들이군. 고작 소설에 이만한 돈을 쓰는 것도 그렇고…… 진짜 어르신인가?'

어르신.

[종말 프로젝트]를 경험한 세대를 뜻한다.

34지구에 살고 있던 대부분의 인간이 죽어 나가던 재앙 속에서도 끝끝내 버틴 생존자들.

종말 프로젝트는 대부분의 인류를 죽인 대신 살아남은 자들을 괴물로 만들었다. 종말 프로젝트가 끝난 후의 34지구는 평균 레벨은 너무나 높아 분식집 아줌마가 소드마스터고 유치원 교사가 고위 마법사일 정도라고 한다.

완성자급 능력자가 수억 명 이상 존재하던 마경!

그들은 한동안 평범한 삶을 만끽하였지만 결국 들끓는 힘과 칼날 위로 걷던 전쟁의 경험을 잊지 못하고 용병으로 전직해 온 우주를 휩쓸었다.

그 과정에 막대한 돈을 벌어들인 것은 굳이 말할 필요도 없는 일이다. 용병이 공짜로 일을 할 수는 없는 노릇 아니던가?

현재 34지구에 존재하는 재화의 절반 이상이 그들에게

묶여 있다고 할 정도니 소설에 이만큼을 써도 이상할 건 없다.

"뭐, 이게 누구든 중요한 건 아니지. 중요한 건 앞으로도 계속 후원을 받을 수 있냐는 건데."

잠시 고민한다.

결과는 금방 나온다.

'한 작품에 두 번의 후원이 없다면…… 작품의 수를 늘려 보자.'

나는 수십 권의 서책을 마차에 실어서 가지고 다니고 있었다.

전장에 무슨 책이냐고 병사들은 생각하겠지만, 이 책들이 수천의 병사 이상의 가치가 있으니 충분히 군사 물자라 할 수 있겠지.

이것들은 돈과 인력을 풀어 구매한 작품들이다. 피난을 오면서 소설책을 챙겨 오는 이는 거의 없었지만, 그렇다고 전혀 없는 것도 아니었으니까.

'그럼…… [가시나무 왕과 빛의 성서]부터 시작해야겠군.'

흔히 말하는 비극(悲劇)이다. 신성제국 공작 가문의 사생아인 로어 캠패니언이 그 치명적인 출생의 비밀을 감춘 채 황위에 오르면서 벌어지는 이야기.

너무 우울한 내용이라 인기가 없을 게 뻔했지만.

'우리 형님들이라면 이 글의 가치를 인정해 주실지도

모른다.'

어느새 그들은 형님이 되어 있다.

원래 돈 많으면 형님인 법이다.

"어디 보자…… 이 정도면 현실에서의 분량은 대충 6권 정도인가. 약간 짧은 편이네."

아르데니아에서는 상·하 2권짜리 분량이다. 나름대로 장편이지만 웹소설에서는 어림없는 소리. 수십 권짜리 장편도 흔한 게 이 판이다.

내가 괜히 단권짜리 장편 소설들을 후순위로 미루고 있는 게 아니니까.

'하지만…… 후원을 노리는 상황이니 오히려 이득이다.'

시간 대비 페이가 높은 클럽만 계속 다니고 나머지 시간은 집에서 책을 옮겨 쓰기만 했다.

로그인, 로그아웃을 반복해야 하는 필사 특성상 아르데니아와 지구의 시간이 함께 흐른다.

'아, 이 옮겨 쓰는 과정을 어떻게든 편하게 해 보고 싶은데.'

그러나 방법이 없다. 아이템이 아닌 책은 소환도 불가능하고 소설을 쓰는 데 도움이 되는 차크라 술식도 없으니까. 하기야 폐쇄적인 차크라 수련자들이 왜 그런 술식을 만들겠는가? 마법사도 아닌데.

물론 내가 만들면 그만이지만 동시 개방은커녕 관련 요

소를 깨우치기도 쉽지 않은 상황.

'어쩌면 잘된 일일지도 몰라. 어차피 얼음 여왕은 성벽을 끼고 상대해야 하니.'

스페셜 보스인 얼음 여왕을 지금까지처럼 암살하는 것은 불가능한 일이다.

괜히 혼자 갔다 암살에 실패하면 포위당해 죽을 수 있으니 이쪽에서 진을 치고 그녀를 꾀어내야 한다.

그리고 그렇게 얼음 여왕을 해치운 뒤 리스폰 되기 전에 화점을 밀어 버리고 진입하는 게 최선이겠지.

'어디 보자.'

나는 은행 잔고를 확인했다.

자유저축 예탁금(G-뱅크 1173-5511)

70,650,009원.

[흑기사와 장미공주] 40만 드래곤 스톤. [타오르는 불꽃]이 54만 드래곤 스톤을 후원받았다.

'역시 샤인 라이트 영웅 전기가 비상식적인 경우였군.'

여러 가지 의미로 압도적인 후원이었다. 소설 후원으로 3억 원. 누가 봐도 정상적인 상황이 아니리라.

나 말고 많은 작가들이 후원을 받았음에도 샤인 라이트 영웅 전기가 연일 화제가 되는 이유다.

'매출보다 후원이 압도적이라니. 미녀 BJ도 아니고 이

게 무슨…….'

그사이 나는 5주의 네메시즈 주식을 샀다. 1천만 원 선에서 등락을 반복하는 네메시스의 주식이 폭락할 가능성은 별로 없으니 구매에도 망설임이 없다.

은행 잔고를 꼼꼼히 비우고 필사를 시작한다.

"오늘은 일단 3권까지……."

나는 가시나무 왕과 빛의 성서 업데이트를 마쳤다. 총 75화를 옮겨 쓰는 데 걸린 시간은 13시간 30분.

몸은 힘들 게 없어도 정신이 피로했기에 아르데니아에서 3시간 정도 자고 스타 게이트로 출근한다.

언제나처럼 클럽의 수질을 관리하고 복장을 점검하며 진상들을 쫓아내는 하루.

그리고 그렇게 자정이 가까워질 때쯤 문 앞을 지키고 있던 내게 얼굴이 발그레 상기된 여자 하나가 다가와 말을 걸었다. 클럽 안에서 놀다가 밖으로 나온 모양이다.

"오빠! 오빠는 원래 직업이 뭐야? 군인? 아니면 조종사?"

코를 간질이는 달콤한 냄새는 그녀가 꽤 많이 마셨다는 증거. 나는 순순히 답했다.

"소설가."

"뭐? 아하하하! 진짜 웃겨!"

까르르 웃으며 어깨를 퍽퍽 친다.

생체력을 수련한 듯 빼빼 마른 몸에 어울리지 않는 힘

이었지만 이능을 미용을 위해 할애한 여자애 손길에 휘둘리기에는 내 육체가 너무나 강건하다.

과연 그녀도 그것을 느낀 듯 눈이 가늘어진다.

"와, 오빠 몸 진짜 좋다……."

팔을 뻗어 내 몸을 더듬더듬 만진다. 나는 굳이 그 손을 쳐 내어 그녀에게 무안을 주지 않았다. 클럽 기도를 하며 흔히 겪는 일이었으니까.

그런데 그렇게 내 몸을 더듬거리던 그녀가 내 팔에 착 달라붙더니 호쾌하게 웃었다.

"좋아! 기분이야! 오늘 언제 퇴근해?"

이름도 모를 꼬맹이의 치근거림에 쓴웃음을 지을 때였다.

"어머, 미안해요. 재연 씨는 저랑 약속이 있어서."

어느새 끼어든 여인이 그녀를 내게서 떼어 내는 게 느껴진다. 슬쩍 돌아보니 스타 게이트에서 가장 인기 있는 DJ이자 인터넷 방송인 이기도 한 스칼렛이 서 있다.

그녀는 늘씬하게 쭉 뻗은 다리가 매력적으로 드러나는 숏팬츠에 크리스털 장식으로 화려함을 더한 블랙 턱시도 재킷을 걸치고 있다.

늘씬하게 단련된 몸매가 한껏 드러나는 옷차림은 방금까지 무대에 올라 있던 게 아닌가 싶을 정도.

내게 치근덕거리던 꼬맹이 역시 제법 예쁘장한 외모지만 나란히 서니 그 분위기 차이가 실로 압도적이다.

"뭐, 뭐야! 별꼴이야!"

한순간에 태양 앞의 반딧불이 되어 버린 꼬맹이가 후다닥 도망간다. 그 모습을 자신만만하게 보고 있던 스칼렛이 내게 다가와 꾸벅 고개를 숙였다.

"폐를 끼친 건 아니죠?"

"폐랄 것까지야. 어차피 근무 시간인데."

태연한 내 모습에 스칼렛이 뭔가 고민하는가 싶더니 이내 조심스레 묻는다.

"저기, 혹시 퇴근하시고 바로 주무시나요?"

"아니요."

지구의 내게 수면 시간이란 없다. 항상 아르데니아에서, 그것도 압축해서 자는 편이기 때문이다.

아르데니아에서도 얼음 여왕의 등장에 대비해야 하는 상황이지만 그게 현실에서 돈 벌 시간을 포기할 정도로 급박하지는 않다. 감시를 위한 레인저를 충분히 뿌려 두기도 한 상황이고 말이다.

"저기, 그렇다면 잠시 시간 내주실 수 있나요? 실례되지 않는다면 제가 식사, 혹은 차 한잔 대접하고 싶은데요."

늘 그러했듯 과할 정도로 정중한 태도.

나는 주변을 둘러보았다. 여기저기에서 우리 둘을 지켜보는 시선들이 느껴졌지만 어느새 우리 주위에 음파의 벽이 세워져 말이 새어 나가는 것을 막고 있다.

“무슨 용건입니까?”

“아, 저기 자세한 용건은 차라도 마시면서…….”

“간략한 용건이라도 먼저 말씀해 주시죠.”

내 말에 스칼렛이 잠시 난감한 표정을 지었다. 그러나 내가 꿈쩍도 하지 않자 결국 포기한 듯 조심스레 말했다.

“스턴트 알바를 하신다고 들었습니다. 그렇다면 혹시…… 영화를 찍어 보실 생각도 있나요?”

“배우를 하란 말입니까?”

“말하자면 그렇습니다!”

“거절합니다.”

“앗!”

깜짝 놀라거나 말거나 이미 한 번 들었던 제안이다.

연예인, 그중에서도 배우가 많은 돈을 버는 건 사실이지만 그건 스타급 배우들이나 해당하는 말이지 그 아래급에서는 열정 페이가 횡횡한다. 스타가 되고 싶은 사람은 잔뜩인 데 비해 실제로 그럴 수 있는 사람은 한 줌도 되지 않기 때문이다.

내가 정말 배우가 꿈이라 기회를 잡고 싶어 한다면 또 모르겠지만 단지 돈을 벌겠다는 목적이라면 배우를 노릴 이유가 없다.

심지어 지금은 형님들이 후원까지 쏴 주는 상황이 아니던가?

‘하루라도 빨리 작품 수를 늘려야 하는 상황인데 고작

배우라니.'

고개를 흔드는 나를 향해 스칼렛이 황급히 덧붙인다.

"2천만 원을 더 드릴게요!"

"……네?"

멈칫한 나를 향해 스칼렛이 말한다.

"배우로서 받는 페이와 전혀 별개로 제가 2천만 원을 얹어 드릴게요!"

"그 말은…… 지금 나를 돈으로 사겠다는 겁니까?"

"그, 그건!"

"나를!"

"아앗……!"

겁에 질린 듯한 스칼렛의 손을 덥석 잡았다.

"나를! 아주 정확하게 보았군요! 잘 부탁드립니다!"

"……."

스칼렛의 멍한 표정을 보며 활짝 웃는다.

클래스 카드 2천 장. 혹은 펫 카드 2천 장. 혹은 수호령 카드 2천 장.

혹은.

네메시스 주식 2주를 더 살 수 있는 돈이 들어왔다.

* * *

두부전골 정식을 먹었다. 고소한 비지볶음과 바삭한

전, 김치와 함께 나오는 수육, 싱싱한 나물들까지.

기분 좋은 식사였지만 나는 적당히 수저를 내려놓았다. 식사를 즐기는 나와 다르게 스칼렛이 먹는 둥 마는 둥 하며 내 눈치를 살피고 있었기 때문이다.

"그래서, 정확히 어떤 영화입니까?"

"제목은 [교수 지망생]이에요."

"……제목이 좀."

시트콤인가? 라는 내 생각이 표정에 드러났는지 스칼렛이 긴장이 좀 풀린 얼굴로 말한다.

"우로보로스의 교수요."

"……그렇게 되면 이야기가 달라지지요."

대우주 최고 최강의 학문 기관 우로보로스.

부르는 사람에 따라 학파라고도, 학원이라고도, 대학이라고도 불리는 이 천외천의 단체는 [진리의 탐구자]라고 불리며 무학, 마학, 과학, 철학을 포함한 온 세상의 모든 지식을 품고 있다 알려진 곳이다.

당연히 탐내는 단체가 한둘이 아니지만, 대놓고 우로보로스에 이빨을 드러내는 이들은 없었다. 전성기 때의 우로보로스는 대마법사만 백 명, 그 외의 초월자도 수십 명 넘게 보유하고 있었을 정도고 무엇보다 우로보로스의 교장 미스터리는 우주 유일의 11클래스의 수련자이기 때문이다.

드넓은 대우주에도 그보다 마법이 뛰어난 존재는 마법

의 신밖에는 없으리라.

"설마 영화 주인공이 대마법사입니까?"

"아뇨. 극 중 캐릭터는 8클래스, 배우는 7클래스 마법사에요. 제목도 지망생이죠."

"천재 마법사란 설정이겠군요."

"네, 우로보로스의 교수가 꿈인 [이병무]라는 캐릭터가 입학을 위해 우로보로스로 이동하던 중 불의의 사고로 블랙홀에 빨려 들어가며 벌어지는 사건에 대한 이야기예요. 정체불명의 외계종족. 욕망에 따라 움직이는 해적들과의 전투 씬이."

"……잠깐, 블록버스터?"

내가 말을 끊었지만 스칼렛은 전혀 불쾌해하지 않는다.

오히려 자신감 있는 표정으로 말했다.

"네."

"이런 말하면 무례일지도 모르지만…… 당신의 배역은 뭡니까?"

"궁녀 [정혜선]이에요. 평범한 궁녀로 보이지만 사실 암중에서 병무를 지키는 황실의 검이죠."

그녀의 말에 절로 의문이 떠오른다.

"거의 주연으로 보이는데요."

"중요한 역할이긴 해요."

그건 의아한 일이다. 물론 스칼렛은 엔간한 배우를 데

려다 봐도 꿇리지 않을 미녀지만 그래 봐야 변변한 필모그래피 하나 없는 신인 배우였기 때문이다.

망한 아이돌에 클럽 DJ를 하던 무명이 단박에 블록버스터 주연에 가까운 자리를 꿰차다니?

'이게 가능한 일인가?'

인류의 99%가 이능력자인 34지구에서 블록버스터급 영화를 만들기란 보통 어려운 일이 아니다.

'왜냐하면, 이능력자들이 CG에서 이질감을 느끼니까.'

웅장한 배경을 CG로 만들면 그것을 조잡하다고 느끼고, 특히나 생명체를 CG로 만들면 절로 눈살을 찌푸릴 정도로 이질감을 느낀다.

나무로 어설프게 깎아 놓은 인형을 가지고 '괴물이 나타났다!'라고 외치는 느낌을 받으니 영화에 몰입할 수 없는 것.

그 때문에 34지구의 영화는 CG가 거의 들어가지 않는 방향으로 발전했다.

드라마, 코미디, 액션 등등.

철저하게 '사람과 사람' 사이의 이야기가 된 것이다.

"그런 작품이라면 주연을 하기가 쉽지 않았을 텐데요. 혹시 도와준 사람이 있었나요?"

너 같은 듣보잡이 어떻게 그만한 배역을 따냄? 빽 있음? 이라는, 듣는 사람에 따라서는 다소 불쾌할 수 있는 질문.

그러나 스칼렛은 이런 질문쯤 익숙하다는 듯 태연한 표정으로 답했다.

"제가 좋은 집안에서 태어나긴 했지만, 지원은 없어요. 집안 어른들 모두가 이 일을 반대하시거든요. 제가 드린 2천만 원도 다 제가 번 돈이고요."

"그럼?"

"능력 때문이죠. 아무래도 영화배우 중에."

팟!

한순간 스칼렛의 모습이 사라지더니 커다란 화분의 그림자에서 걸어 나온다.

"완성자급 차크라 사용자는 흔치 않으니까요."

'차크라 마스터!'

특정한 요소의 본질에 대해 깨달아 현문(賢門)을 열어젖힌 존재라는 말이다. 그리고 깨달음이 그 정도에 이르면 차크라 자체의 경지도 깊어져 무량구층의 5층에 발을 디디게 된다. 보통의 인간은 상상조차 할 수 없는 온갖 일이 가능한 인간이라는 뜻이다.

"아무래도 전투 씬이 많을 듯한데, 촬영 장소는 어떻게 됩니까?"

"바로 그 부분이 재연 님에게 도움을 요청한 이유예요. 촬영 장소가 몽환계(夢幻界)거든요."

"아."

그러고 보니 들어 본 것 같다. 세상의 모든 생명체의

꿈과 연결된 물질계의 부속 차원이 있어 그 안에서라면 꿈에서나 볼 법한 존재들을 만날 수 있고 CG 없이 환상적인 장면들을 뽑아 낼 수 있다던가.

다만 문제가 있다면.

"위험하지요. 실제로 통제 구역이기도 하고……."

몽환계는 정복할 수 없는 영역이다. 워낙에 불안정하며 정기적으로 탄생과 소멸을 반복하기 때문이다.

"거기에 예산도 많이 필요할 텐데요."

"네. 궁극 마법인 알릭스의 숨결이 필요하니까요."

영화사에 9클래스 마법사가 있다면 걱정할 필요가 없겠지만 그럴 리가 있나.

초월자, 그중에서도 대마법사는 고작 기업 따위가 부릴 수 있는 존재가 아니다.

34지구에 있는 대마법사라고 해 봐야 고작 2명뿐이고 그들은 돈이 아쉬운 존재가 아니기 때문이다.

"궁극 마법에 차원 계통이면…… 3클래스 마법사가 1만 명 이상. 고위 마법사도 꽤 필요하고…… 기간도 반년은 잡아야 할 텐데."

"대규모 프로젝트나 다름없지요."

특정 술식을 올올히 풀어내 다수의 하위 마법사가 그 부품을 만들어 내게 하고 그것들을 다시 모아 하나의 주문으로 조립하는, 속칭 초고층 빌딩(Super-Highrise Building) 기술과 그것이 가능하게 하는 설비는 고위 마법 물품을 찍어 낼 수 있게 하는 34지구의 자랑이다.

10클래스의 마도 황녀가 만들어 낸 이 방식 덕분에 34지구에서는 고위 마법이 인챈트 된 2급 마법기도 고작 수백만 원이면 구매할 수 있고, 그 결과물을 레온하르트 제국을 비롯한 대우주 곳곳에 판매해 막대한 이득을 취하고 있다.

34지구의 마법사들이 3클래스만 되어도 평생 먹고 살 걱정을 안 하는 이유이기도 하다. 합동 구성진에 필요한 마법사는 너무도 많아, 현존하는 능력자의 태반이 마법사인 지금도 마법사가 모자라다 할 정도다.

"스폰서가 잘 붙은 모양이네요."

"네, 네메시스가 붙었어요! 과연 돈이 많은 건지 혼자서 100% 후원하는 계약을 맺었지요. 한동안 말이 많았지만, 내일이면 몽환계로 출발할 날입니다."

"……내일?"

너무나 급박한 일정에 황당해하는 내게 스칼렛이 답한다.

"전 이미 모든 계약을 마치고 대본 숙지까지 끝냈어요. 원래대로라면 재연 님께 이런 부탁을 할 필요도 없죠."

거기까지 말한 스칼렛이 하, 하고 한숨을 쉰다.

"그런데 이제 와서 집에서 위험하다고 들어가지 말라고 했어요. 내가 이 자리를 위해서 얼마나 노력했는지 알면서……."

"그렇다는 건."

내 말에 스칼렛이 나를 바라본다. 두 눈이 반짝이고 있다.

"그만한 호위가 있다면 허락해 주시겠다고 했어요. 신인이나 다름없지만, 신용 문제 때문에 경호원으로 오실 수는 없어서 스턴트 배우로 가시는 거고요. 제가 방송국에서 들었는데 홈쇼핑에서 했던 일이 경력이 된다더라고요. 평가도 좋았다고 하고."

"……."

그녀의 말에 생각한다.

'어라…… 이거 위험할지도 모르겠는데?'

스칼렛은 나를 어르신, 아니어도 그에 준하는 존재로 착각하고 있다.

차크라 마스터인 그녀라면 충분히 나와 비벼 볼 만한 수준인데도 이토록 저자세로 나오는 게 바로 그 증거.

그리고 그 착각의 이유는 내 안에 있는 초월적인 요소. 아르데니아일 것이다. 차크라 마스터인 그녀가 천문이 열린 내 소우주를 감지한 것이다.

물론 그 모든 걸 온전히 감지하지야 못했겠지만…… 그녀가 나를 정체불명의 은둔 고수쯤으로 여기는 건 어쩔 수 없는 일이다.

'물론 반드시 위험하다는 보장은 없어. 우리가 가는 곳은 전장이 아니라 영화 촬영장이니 대부분의 경우 나는

2천만 원을 날로 먹게 되겠지.'

그러나 만약 돌발 생황이 생긴다면?

정말로 [어르신]급의 무력이 필요한 상황이 온다면?

그렇게 된다면 나는…… 죽을 것이다.

"제발 부탁드립니다. 놓치기 싫은 기회예요. 저는."

"좋습니다."

"아……!"

환히 펴지는 스칼렛의 얼굴을 잠시 지켜보다가 자리에서 일어난다. 스칼렛은 이제 차도 먹자는 식으로 운을 띄웠지만, 나는 고개를 흔들어 거절하고 식당을 나섰다.

'궁금해.'

심장이 뛰는 게 느껴진다.

'지구의 내가…… 어디까지 할 수 있는지 알고 싶다.'

아르데니아의 나는 끊임없이 싸워 왔지만, 지구에서의 나는 다르다. 이곳은 평화로운 곳이고, 개인이 무력으로 뭔가를 쟁취해야 할 일은 어지간해선 없기 때문이다.

지구의 나는 여전히 시민1.

강하지도 특별하지도 않은 존재다.

"물론 이대로 가는 건 직무 유기지. 체다."

"야옹!"

다가온 체다를 허공에 고정시킨 나는 주식 프로그램을 실행했다.

그리고.

네메시스 주식을 6주만 남기고 팔아치웠다.

"내일이 오기 전에…… 화점을 먹는다."

신화를 노릴 시간이었다.

* * *

소환권으로 고급 등급 카드가 등장할 확률은 9%다. 희귀 확률은 0.9%. 영웅 확률은 0.1%.

단순히 생각하면 천만 원을 쓸 때마다 영웅 카드 한 장이 나와야 하지만 실제로는 그렇지 않다. 합성 기능이 존재하기 때문이다.

'그렇다 하더라도 미친 확률이지.'

괜히 전설 카드를 뽑을 때 방송까지 켜고 사람들 앞에서 하는 게 아니다. 수천만 원의 돈이 허공에 날아가고 심지어 그렇게 돈을 쓴 다음 아무것도 얻지 못하기도 하는 확률!

그러나 그런 확률조차도.

-그러므로 신의 갑주를 취하나니.

-너는 병사들 한가운데에서 구원을 노래하게 되리라.

[크루세이더(전설)]

-오직 죽음이란 결과만이 자리에 임하니.

-누구도 그의 존재를 알 수 없었다.

[어비스 스나이퍼(전설)]

-천하가 도탄에 빠졌으니 우화등선은 헛된 미망이로다.

-나는 이제, 마로써 마를 베겠다.

[점창검마(전설)]

끝없는 시도 앞에서는 버틸 수 없다.

"전설이 7장. 운이 좋은 편인가."

주식을 처분해 마련한 1억 4천만 원. 후원 등이 들어 있던 7천만 원의 잔고. 스칼렛에게 받은 2천만 원 모두를 클래스 카드를 구매하는 데 썼다.

'그리고 거기에 더해 누구에게도 주기 애매해 묵혀 두고 있던 희귀, 영웅 카드들까지 합성했지.'

새로 컬렉션에 등록된 카드는 3장이니 합성을 시도할 수 있는 4장의 카드가 생겼다.

당연한 말이지만 지금 합성을 시도하면 안 된다. 신화 카드는 화점을 정복한 성주에게만 열리기 때문.

그리고 당장은 그보다 중요한 일이 있다.

[점창검마(點蒼劍魔)(전설)]

근력+180 민첩+100 체력+100 생명력+60 마나+60

공격 속도 50% 증가.

[쾌검신(快劍身)]

[사일(射日)]

그 와중에 검성이 안 나왔다는 사실이 열 받지만 점창 검마라면 충분히 검성에 비견될 만한 직업이다. 같은 크리 검사에 전설 등급이니 당연한 일이다.

게다가 주스텟이 민첩이 아니라 근력이라는 게 마음에 든다.

"좋아, 이대로."

만족스럽게 웃는 그 순간이었다.

쿠콰콰쾅!

무지막지한 폭음과 함께 영주성이 무너진다.

쾅!

그대로 땅을 박차 무너지는 영주성을 뛰쳐나온다. 파괴된 성 파편이 쏟아져 내리지만 인간을 초월한 괴력을 가진 나에게는 스티로폼 더미나 다름없다.

"으…… 아…… 사, 살려 줘……."

"미친! 사람들이 건물에 깔렸어!"

"얼음창! 얼음창이 쏟아진다!"

"힐러! 힐러 어디 있어!"

여기저기에서 비명이 터져 나온다. 여기저기 짓눌리고 박살 나 쓰러진 시체들이 보인다.

그러나 나는 그들을 볼 틈이 없었다.

까마득히 높은 하늘.

아름다운 외양의, 그러나 절대로 생물로는 안 보이는 얼음의 여왕이 수십 개의 얼음창을 만들어 내는 모습이 보인다.

"이게 무슨……."

콰콰콰쾅!

쩌저적!

얼음 폭격이 쏟아진다. 병사들이 비명을 지르며 사방으로 흩어졌지만 비처럼 쏟아지는 얼음창을 피하긴 역부족이었다.

"모두 흩어져라!"

"몸을 피할 곳을 찾아!"

터져 나오는 비명 속에서 이를 갈았다.

"저만한 고도에서 얼음 폭격을 내린다고……?"

듣도 보도 못한 패턴이다. 성벽을 끼고 싸울 생각을 하던 나로서는 그야말로 상상도 못 한 방식의 공격.

문제는 그뿐이 아니다.

"던전에 보스가 없는 걸 보고 어쩌면 이렇게 될지도 모른다고 생각은 했지만……."

먼 거리였지만, 인간을 초월한 시력으로 그녀의 머리 위에 있는 글자를 읽어 낸 나는 상황이 심각하다는 것을 깨달았다.

그녀의 머리 위에는 이런 글자가 쓰여 있었다.

각성 얼음 여왕(전설).

엘리사.

원래대로라면, 정확히 말해 게임대로라면 던전의 보스인 얼음 여왕은 영웅 등급이어야 한다.

이제 막 플레이어들이 화점 공략을 시작할 즈음은 리벤지의 서비스가 시작된 지 얼마 되지 않는 초창기이기 때문이다.

플레이어들의 레벨도, 과금액도 모자란 상황에서 스페셜 보스가 전설 등급이면 어떻게 잡을 수 있겠는가?

'그렇다고 특별한 존재인 스페셜 보스를 영원히 영웅급으로 둘 수도 없지.'

때문에 리벤지는 영웅 등급의 얼음 여왕이 플레이어들에게 패배한 후 패배를 곱씹으며 후퇴한다는 시나리오를 선택한다.

이후 다시 강해져 그 성을 공격하는 것!

흔히 말하는 각성 이벤트이다.

'그런데 이미 전설이라고?'

나는 여왕이 차지했던 착점을 손쉽게 빼앗았다. 지금껏 열심히 육성해 온 기사와 병사들, 뜻하지 않게 얻어 낸 헤이즈의 존재 덕이기도 하지만 무엇보다 해당 착점에 당연히 있어야 할 보스의 부재 덕이었다.

"보스도 없어 허당인 영역을 왜 이렇게 열심히 확장하나 했더니……!"

착점들에 보스가 없는 만큼 그 힘이 얼음 여왕에게 가는 모양이었다. 하지만 아무리 그래도 각성 이벤트도, 월드 퀘스트도 없이 지 맘대로 등급을 높여 나오다니.

게다가 지금 녀석이 보여 주는 얼음 폭격은 아무리 등급을 생각해도 이해가 안 되는 수준이었다.

쾅!

전봇대만 한 크기의 얼음창이 줄지어 떨어지자 건물이 박살 나며 여기저기에서 비명이 터져 나온다.

영웅급 성의 건물이 아무리 튼튼해도 이런 말도 안 되는 폭격을 견딜 정도는 아니었다.

"전군-! 기상! 모두 산개해 하늘에서 떨어지는 공격을 피해라!"

그렇게 소리친 후 시스템 UI를 조작해 카심을 소환한다.

어느새 장비 변경을 마친 헤이즈가 나보다도 먼저 그 위로 올라탄다.

쿵!

카심이 땅을 박차고 벼락처럼 솟구친다. 보통 사람은 견디기 힘든, 거의 10G가 넘는 타격이 몸을 때렸지만 나도 헤이즈도 보통 사람이 아니다.

"이게 무슨 일이야! '그' 얼음 여왕이 이 새벽에 폭격이라니!”

“네가 겪은 미래에는 이런 일이 없었어?”

“얼음 여왕은커녕 아이스 골렘만 몇 떠도 큰일이었지.”

대화를 나누는 사이 얼음 여왕과의 거리가 가까워진다. 얼음 여왕의 곁에 다른 몬스터는 없다. 하기야 얼음 여왕이 이렇게 날고 있는 것도 기가 찰 일이다.

‘얼음 여왕에게 비행 패턴이 있었나?’

그러나 아무리 생각해도 없다. 인터넷을 돌아다니며 온갖 공략을 확인해 봤으니 착각했을 리는 없지.

그러나…… 잘 생각해 보면 얼음 여왕이 땅을 걸어 다니지 않던 것도 사실이다.

길드 레이드나 이벤트 레이드로 얼음 여왕과 싸우는 영상을 보면 그녀가 땅에서 1미터 남짓 떠 있다는 사실을 알 수 있었으니까.

우웅!

솟구치는 우리를 발견한 듯 얼음 여왕의 시선이 우리에게 향했다. 하기야 눈이 멀지 않은 한 집채만 한 덩치의 카심을 발견하지 못할 리 없다.

팡! 팡! 팡!

쏘아진 얼음창이 카심을 맞추지 못하고 허공을 가른다. 그 거대한 덩치에도 불구하고 녀석은 제비처럼 날렵하게 모든 공격을 피해 낸 것이다.

이렇게 생겼어도 카심은 탑승 펫. 그것도 [기승-하늘

의 지배자(전설)] 특성을 소유하고 있는 녀석이니 그 비행 능력이 타의 추종을 불허하는 수준.

그리고 날렵하게 모든 공격을 피하는 카심의 모습에 얼음 여왕이 짜증 낸다.

[드레이크 녀석 쓸데없이 빠르구나!]

'역시 지성이 있군.'

하기야 게임 속에서도 대사와 이벤트 컷 씬이 있던 녀석이다. 그래 봐야 전투전 등장 씬과 페이즈 변경 씬, 그리고 사망 씬뿐이지만 말이다.

'물론 말이 통한다 해도 대화를 나눌 상황은 아니지만!'

나는 카심을 조종해 녀석을 향해 돌진했다. 다행히 얼음 여왕의 비행 속도는 형편없다. 전투기나 비행기는커녕 헬기조차도 못 되는, 헬륨가스를 가득 채운 에드벌룬 같은 움직임.

[흥!]

그러나 얼음 여왕이 코웃음소리와 함께 원형으로 냉기가 뿜어진다. 냉기는 얼음이 되어 허공에 거대한 빙막을 만들었다.

이대로 날아가면 충돌할 수밖에 없는 위치에 빙막을 설치한 것이다.

팟!

그러나 그 순간 카심이 오른쪽 날개를 접고 왼쪽 날개는 바람을 맞는 방향으로 틀어 버렸다.

팡!!

공기가 터지는 소리와 함께 카심의 비행 방향이 직각으로 꺾였다. 빙막은 허무하게 카심의 접힌 날개 끝을 스치고 지나갔다.

등에 타고 있는 나조차 믿을 수 없는 비행 능력이다. 나야 괜찮았지만 헤이즈는 하마터면 튕겨 나갈 뻔했다.

파악!

재차 이어진 날갯짓에 얼음 여왕과 우리 사이의 거리는 30미터 안쪽으로 줄어들었다.

"폭격을 할 때는 좋았지?"

그녀의 기습은 실로 치명적이었다.

까마득히 높은 상공에서 톤 단위의 얼음을 쏘아내는 공격은 단단한 성으로 보호받고 있던 우리에게도 살인적인 피해를 줄 수 있었다.

'하지만 자유자재로 비행할 수 없는 이상 하늘에서 카심을 이길 수는 없어!'

특성. [기승-하늘의 지배자(전설)]을 가지고 있는 카심은 상상을 초월하는 비행 능력을 가지고 독수리나 제비보다 유려한 비행을 할 수 있다.

그런 녀석에게 에드벌룬처럼 그저 하늘에 떠 있을 뿐인 얼음 여왕은 그야말로 먹잇감이다.

팟!

완전히 근접한 즉시 안장을 박차고 뛰어오른다. 카심의

목을 따라 달려 나가 머리를 밟고 뛰었다.

크릉!

카심이 성질 부리는 소리를 무시하고 검기를 발현한다. 다행히 같은 소드맨-무사 계통이었기에 점창검마 역시 검기 발현 스킬을 사용할 수 있었다.

쩡!

재차 쏘아진 작은 빙막을 단번에 부수고 조각난 얼음 파편을 밟고 뛰었다.

"하압!"

카심을 노리는 얼음창을 쳐내는 헤이즈의 기합 소리를 뒤로한 채 얼음 여왕에게 접근한다.

쩡! 쩡!

코앞에 나타나 날아드는 얼음창을 피한다. 엄청난 속도였지만 총알도 쳐낼 수 있는 나를 맞추는 것은 불가능.

놀랍게도 얼음 여왕은 그 사실을 단박에 파악했다.

[감이 좋군.]

그렇게 중얼거리는 순간.

화악!

얼음 여왕을 중심으로 극저온의 냉기가 뿜어진다. 회피 불가능의 공격! 나는 방어도 회피도 못한 채 그것을 얻어맞았다. 피부가 새하얗게 얼어붙는 게 느껴진다.

그러나 딱 그 정도.

+9강의 냉기 수호 반지를 끼고 있는 내게 냉기 공격은

무용하다.

[뭣……?]

처음으로 얼음 여왕이 당황하는 표정을 보며 +9강화 괴력검을 잡은 손에 온 정신을 집중했다.

꾸드득!

전신 모든 근육이 뒤틀린다.

꿀꺽.

카심이 입안에 생겼던 신성을 삼키는 소리가 들렸다.

〈카심이 포효합니다!〉

-크아아아아---------앙!

빛의 파도가 얼음 여왕을 후려쳤다. 얼음 여왕은 발악하듯 얼음방벽을 만들었지만.

쩌억!

검기에 휩싸인 레이피어가 그 중앙에 구멍을 뚫는다. 어느새 따라온 헤이즈의 일격.

그리고 그 뒤로.

쩡!

벼락처럼 괴력검이 내리꽂힌다.

[치명타!]

강대한 검격이 얼음 여왕을 정수리부터 사타구니까지 쪼개 버린다.

"하하하!!"

그야말로 그림 같은 연격과 콤비네이션이었다.

'하지만 운이 좋군……! 이렇게 쉽게 스페셜 보스를 처리할 수 있.'

거기까지 생각했을 때였다.

섬뜩.

문득 밀려오는 전투 예지에 기겁해 검을 휘두른다. 허공에 떠 있었기에 회피는 불가능하다.

쩌저적!

'아, 이런……!'

완벽히 쳐 냈으나 그럼에도 막아 내지 못했다. 왜냐하면 날아든 것이 얼음이 아니라 극도로 압축된 냉기의 창이었기 때문이다.

쩌적!

뭘 할 틈도 없이 무지막지한 냉기가 괴력검을 타고 내 전신을 뒤덮는다.

'괜찮아! 냉기 저항 90퍼센트다!'

그러나 냉기는 내 몸 안으로 파고드는 대신.

촤라락!

[갈기갈기 찢어라.]

내 피부 위에서 얼어붙어 병기의 형상이 되었다.

[극야(極夜).]

퓩! 퓩퓩퓩!!

심장이 꿰뚫린다.

대장이, 소장이, 간이 꿰뚫린다. 목젖을 뚫고 들어오고 손등과 발등을 꿰뚫었다. 골반을, 허벅지를.

그리고 마침내.

"로그아웃!"

냉기의 무기가 머리를 꿰뚫기 전 원룸으로 돌아온다. 전신에서 피가 쏟아진다. 온몸을 찌르고 있던 얼음 칼날들은 사라졌지만, 상처까지 사라지지는 않았다.

"힐, 힐링을…… 아, 잠깐. 생명력이 20퍼센트 이하면 차라리……."

★☆전직 완료☆★

점창 검마(전설) =〉 임페리얼 나이트(영웅)

클래스가 변경되자 바로 클래스 특성이 작동한다.

[불굴]

HP가 20퍼센트 이하로 떨어지면 1분 동안 회복 속도가 압도적으로 증가하는 특성. 게임도 아니고 현실에서는 사용하기 힘든 특성을 드디어 활용하게 되었다.

'바꿔 말하면……. 그만큼 부상이 심각하다는 말인가.'

사실 지금까지 HP를 활용할 수 없었다. 왜냐하면, 적용이 제대로 안 되었으니까. 팔이 잘려도 깎이는 HP는 고작 10퍼센트에 불과하니 이걸 어떻게 쓰겠는가?

정말 죽기 직전이 돼서야 활용하게 되었다고 할 수 있다.

치이익!

상처에서 연기가 나며 거의 뿜어지다시피 하던 출혈이 줄어든다.

'모자라.'

시야가 어둑어둑해진다. 그냥 피부만 좀 베인 수준이 아니라 전신이 갈기갈기 찢어진 수준이었기에 몸이 제대로 움직이지 않는다.

'무, 슨. 방금까지 이기고 있…… 었는데…… 몸을 반으로 쪼개 버렸는데…….'

그러나 현실은 피 웅덩이 위에 누워 있는 꼴이다.

전혀 상상도 못했던 결말이다.

'하, 이런…….'

쓰게 웃었다. 아니, 웃었다고 생각했지만, 입꼬리 하나 움직이기 힘이 든다.

사실 언제든지 일어날 수 있는 일이었다.

지구와 아르데니아를 오가며 부상을 회복할 수 있더라도 나는 불사신이 아니다. 즉사한다면, 혹은 지금처럼 스스로 치료할 수 없을 정도로 치명적인 상처를 입는다면 주변에 도와줄 사람 하나 없는 난 죽을 수밖에 없다.

'허무한데…….'

그렇게 생각하며.

'허무해…….'

천천히, 눈을 감는다.

* * *

아무도 찾지 않는 원룸. 피 웅덩이에 시체가 쓰러져 있다. 정확히 말하자면 시체와 다름없는, 혹은 곧 시체가 될 몸뚱이라고 할 수 있겠지.

다른 사람이 보았다면 그저 그 뿐인 광경이었지만 그 육신의 안쪽에서 벌어지고 있는 일은 좀 달랐다.

한재연은 생각조차 못했지만, 그럼에도 가장 깊이 궁구(窮究)하고 체감해 오던 요소가 그가 정신을 잃은 틈에 열리기 시작했다.

그렇다. 새로운 요소였다.

무공(武功).

딱!

바둑판에 새로운 요소가 박힌다. 무공은 다른 요소들과 달랐다. 너무도 강력한 초월의 역사를 가진 이 요소는 혼자서 9개나 되는 성을 차지했다.

재연이 성마다 배치해 놓았던 신체(身體). 수면(睡眠). 회복(回復) 등을 모조리 밀어내고 자리를 차지한 것이다.

그리고 그렇게 한번 요소가 자리를 잡자, 더 이상 거칠 것이 없었다.

덜컹.

문이 열린다. 제1문 접문(接門).

덜컹.

문이 열린다. 제2문 중문(重門).

덜컹. 덜컹! 덜컹!

열린다. 또 열린다. 그야말로 거칠 게 없었다.

내공을 제대로 쌓아 보지 못했을 뿐 완전히, 완벽히 숙지하고 있던 6개의 심법. 4개의 검결, 3개의 권법, 6개의 보법…….

덜컹!

매일매일 반복하던 수련. 치열했던 생사결. 언제 죽을지 모를 불안에 칼을 품고 자던 나날들…….

그 모든 경험.

절망과 좌절, 분노, 투쟁, 슬픔과 그리움, 쾌감과 환희.

그리고.

깨달음.

덜컹!

마침내 다섯 번째 문이 열린다.

제5문. 현문(賢門).

마침내 [무공]이라는 요소가 [완성]되어 심상 세계에 새겨진다. 단순한 요소가 아니라 스스로 존재하는 소우주가 열린 것이다.

꿈틀!

시체나 다름없는 육신이 퍼덕인다. 재연의 몸 안에 있던 결코 적지 않은 양의 마나가 미친 듯이 들끓는다.

아니, 그저 마나가 아니다.

내공(內功)이 요동치고 있었다.

"하아……."

날숨에 탁기(濁氣)가 토해지고.

"후우……."

들숨에 진기(眞氣)가 유입된다.

아무도 찾지 않는 작은 원룸 안.

누군가의 영혼 속에서는 격변이 일어나고 있었다.

* * *

성지(聖地)라 불리는 광화문 광장은, 언제나 그러하듯 수많은 사람이 모여 있다. 소풍을 나온 아이들, 시위하는 시민 단체, 데이트 중인 커플 등등.

그리고 그들 사이에 한 무리의 사람들이 모여들고 있다. 야구 모자를 거꾸로 쓴 여인은 UFO 모양의 스마트펫에 떠 있는 명단을 보며 차례대로 호명했다.

"스티븐 씨."

"네."

"왕 씨."

"네."

"어, 뭐야. 추가 인원에 외국인이 많네요. 어디 보자…… 아! 한재연 씨?"

나는 그 말에 오른손을 들었다.

"접니다."

"네, 오셨…… 헉. 뭐야, 아저씨 깍두기예요?"

"야, 촬영하러 오신 분께 실례잖아. 죄송해요."

피투성이 몸으로 밤새 쓰러져 있다 아침에야 일어나 후다닥 씻고 출근한 나는 내가 가진 것 중에 가장 괜찮은 옷을 골라 입고 나왔다.

'이 양복만 한 게 없지.'

배사랑 대표에게 받았던 이 양복은 깔끔한 라인에 자동 복구 기능까지 달린 최고급품. 그러나 어쩐 일인지 빌딩 유리창에 비친 내 모습은 영화에나 나올 법한 히트맨의 그것이다.

"아저씨…… 조폭 아니죠?"

"아, 제발. 미영아……."

"왜 물을 수도 있지. 간혹 있다고 하잖아."

똑같은 얼굴의 쌍둥이가 티격태격한다.

'조폭이라…….'

나는 왠지 그리운 기분이 들어서 답해 주었다.

"기업이 운영하는 폭력배들이라면 목에 [심판의 유예자]라는 물건을 끼고 다닙니다."

그게 없으면 언제 정의신의 사제에게 죽을지 모른다. 하기야 심판의 유예자를 끼고 있어도 정의신의 사제와 만나 좋을 일은 없겠지만 말이다.

"무엇보다 그런 질 나쁜 녀석들이 광화문 광장에 나올 일은 없습니다. 조폭을 보고 싶으면 차라리 자원봉사 단체를 찾아다니는 게 낫겠지요."

유토피아에 가까운 34지구지만 그럼에도 바닥과 그림자는 틀림없이 존재한다.

'낙오자들.'

지금이야 이민 조건이 까다로워져 대단한 재능이나 능력이 없으면 34지구에 들어올 수 없지만, 예전에는 달랐다.

34지구에 인간의 숫자가 너무도 부족했던 시절.

우주 전쟁에 휘말려 고향을 잃어버린 이들, 해적들에게 잡혀 노예 생활을 하던 이들, 우주 괴물 그로테스크에 의해 멸망한 행성에서 아포칼립스물을 찍고 있던 이들을 우주 용병으로 활동하던 어르신들이 구해 지구로 데려왔다.

당연히 문제가 되었다.

그들은 자신들을 구원한 34지구에게 감사했지만 그렇

다고 자신들이 살아오던 방식을 완전히 고치지도 못했기 때문이다.

'사실 난민만의 문제는 아니지.'

이민자 중에서도 원래 살던 곳의 습관을 버리지 못한 인간들이 많았다. 훌륭한 재능과 능력을 갖추고 있어 34지구에서도 지배 계층에 들어갈 수 있으리라 믿던 이들.

그러나 34지구에 정착한 그들은 얼마 지나지 않아 깨달았다.

'자신들이 사회의 밑바닥이고…… 위로 올라가기가 불가능에 가깝다는 걸.'

분명 34지구는 살기 좋은 곳이다. 완벽에 가까운 치안, 그 어떤 사람도 버리지지 않는 복시 성책, 부정부패라는 개념을 교과서로만 배울 정도로 투명한 사회.

34지구의 백수도 아르데니아의 왕보다 편안한 삶을 산다.

아무 일도 안 해도 최소한의 기본 소득이 주어지고 알바 하나만 해도 기본 이상의 문화 생활을 할 수 있다.

'하지만 단지 먹고 살 만하다고 행복한 삶이 아니지.'

당장 오늘 먹을 한 끼가 없어서 목숨을 걸고 군인을 습격해야 하는 아르데니아 사람들이 보기에는 배때지가 부른 소리겠지만…… 인간은 스스로를 남과 비교하는 존재다.

멀리 갈 것도 없이…… 나의 친아버지도 그런 사람 중

하나였다.
고향에서 왕족으로 태어난.
그랬기에 [시민]이라는 역할에 끝내 적응하지 못한 낙오자.
"자자! 확인 끝났어요! 이동하실게요!"
인솔을 따라 이동하며 생각을 정리한다.
'정말 뜬금없단 말이지…….'
의식을 집중하자 몸 안을 흐르는 내공의 흐름이 느껴진다.
그렇다. 느껴진다.
내공.
내 평생의 꿈이었다. 갈구하고 욕망하던 조월의 증거.
입문자급 내공으로 마나 유저나 익스퍼트급을 이기기 위해 온갖 발악을 하며, 상처 입은 몸으로 잠도 제대로 못 자며 얼마나 기원했던가?
매일 밤마다 소원하고 기도할 때에도 얻지 못했던 그 능력을 뜬금없이 얻게 된 것이다.
물론 이유야 있다.
'내가 정복한 성들의 도움 덕이지.'
내가 아르데니아에서 성을 정복하면 그것들은 일종의 [보조 용량]이 되어 아무런 부담 없이 요소를 늘릴 수 있다.
'하지만 아무리 그래도 무공이라니.'

물론 원래부터 차크라 사용자는 다른 이능을 많이 사용하는 편이다. 차크라는 무공이나 내공과 달리 마나를 축적하는 힘이 아니며, 요소의 힘이 다른 이능에 도움이 되는 경우가 많기 때문이다.

그러나…… 아무리 그래도 그렇지, 다른 이능 자체가 요소가 되는 일은 그야말로 금시초문이다.

'게다가 영감을 얻게 된 거라고 보기엔…… 뭔가 다르다.'

몸 안의 내공이 느껴진다. 그것을 컨트롤 할 수도 있다. 호흡법으로 축기(蓄氣)를 할 수도 운기(運氣)를 할 수도 있다.

그런데, 그런데도.

기감(氣感)이 없나.

'기가 차는군. 내공을 느낄 수도, 다룰 수도 있는데 여전히 기감은 없다니.'

내가 인지할 수 있는 기운은 오직 내 소유의 내공뿐이다. 주변을 감지한다거나, 귀신을 본다거나 상대방을 탐지하는 행위는 여전히 불가능하다.

"자자! 인식표를 나눠 드릴 테니 목에 차 주세요! 관리 잘못하시면 몽환계에서 미아가 될 수 있어요!"

나는 스턴트 배우와 엑스트라, 촬영팀과 조명팀 등이 섞인 무리 속에서 시키는 대로 움직였다.

다른 차원으로 가는 일이라도 복잡할 건 없다.

걸으라면 걷고, 서라면 서고. 이름을 부르면 손을 들

고, 뭘 주면 챙기고.

그렇게 걷고 대답하기를 약 한 시간, 나는 빌딩 안에 자리하고 있던 게이트를 넘어 새로운 세상에 도착할 수 있었다.

[히-! 히히히!]

하늘 위로 새하얀 옷을 입은 여인이 날아간다.

그건 정말 놀라운 일이었다.

"내가 귀신을 보다니."

그러나 사람들을 인솔하고 있던 쌍둥이 스태프 중 하나가 내 말에 고개를 흔들었다.

"귀신이 아니에요. 누군가가 꾼 무서운 꿈이죠. 괜히 둘러보다가 잠에 취할 수 있으니 앞사람만 보고 이동하세요."

그녀의 인솔에 따라 다시 이동한다.

"내 목숨을 아이언에!"

"드워프 맙소사!"

"자. 게임을 시작하지……."

"앗! 으흥! 오빠 나 처음이야……."

양옆으로 온갖 것들이 지나간다. 흥미로운 꿈. 장대한 꿈. 무서운 꿈. 야한 꿈까지…….

대책 없이 이곳에 떨어졌다면 꽤 여럿이 휩쓸렸겠지만, 결계를 비롯한 온갖 이능에 의해 보호받고 있는 우리는 별문제 없이 목적지에 도착할 수 있었다.

영화사에서 환몽계에 설치해 놓은 마을 규모의 베이스 캠프였다.

"자자! 짐들 푸시고 인식표에 쓰여 있는 대기실로 이동해 주세요! 거기서 각 팀의 팀장님을 만나서 지시에 따르시면 됩니다!"

그녀의 말을 따라 이동한다.

도착한 곳에는 8명 정도의 남녀가 대기하고 있었다.

"아, 왔다. 이걸로 9명 끝!"

"흐음…… 괜찮은가."

"보기엔 꽤 단련한 듯한데."

나를 탐색하는 시선이 느껴진다. 하기야 촬영 하루 전 갑자기 낀 인원이니 기존 스턴트 배우들의 눈엔 절대 좋아 보이지 않겠지.

"어이, 형씨."

과연 그들 중 가장 덩치가 큰 사내가 자리에서 일어나며 말한다.

"듣자 하니 갑자기 끼어든 낙하산이라며? 보니까 정보가 하나도 없던데. 어디 학원 출신이야? 듣도 보도 못한 얼굴인데."

껄렁껄렁한 말투지만 충분히 할 법한 질문이었기에 순순히 답한다.

"학원 출신은 아닙니다."

"뭐? 그럼 설마 문파(門派) 출신?"

"아뇨. 독학입니다."

내 말에 사내는 물론이고 나머지 사람들도 술렁거린다.

"아니, 이게 뭐하자는 거야. 설마 이 타이밍에 아무나 꽂아 넣었다고?"

"아무리 주연 배우라지만 신인인데 미친 거 아냐?"

대번에 불만이 터져 나온다. 그러자 여태 조용히 있던 30대 초반의 여인이 손을 들어 그들을 진정시킨다.

"그만! 우리끼리도 문제없던 씬들이었는데 왜 호들갑이야."

"하지만 누님. 독학이라잖아요. 쾌진공이나 완성식 같은 거 익혀 온 놈이면 써먹을 데가 없다고요."

"게다가 몽환계 촬영이면 부상 위협이 얼마나 많은데 이런 인원이……."

"아, 그만! 이야기나 다 듣고 구시렁거려. 거기 신입 씨. 익힌 능력은 뭐고 경지는 어떻게 돼요?"

풍성한 머리칼을 질끈 묶어 올린 건강한 체구의 여인은 제법 강한 기세를 뿌리고 있다. 다른 스턴트 배우들을 진정시켰지만 내 답변이 마음에 안 들면 가장 격하게 반응하겠지.

그 때문에 나는 근처에 있던 책상에서 볼펜 하나를 잡아들었다.

'될까?'

순간 의문이 들었지만, 이내 난 스스로 그 의문에 답할 수 있다는 사실을 깨달았다.

'된다.'

확신이 서는 순간.

우우웅!

볼펜으로부터 청색의 검기가 솟구친다.

"뭣……?"

"아니 무슨 검기가."

"소드 마스터……."

대기실이 단번에 적막에 휩싸인다.

모두가 넋이 나간 표정으로 검기를 바라보고 있다.

"와, 맥락 없이 떨어진 낙하산인 줄 알았는데."

포니테일의 여인이 눈을 동그랗게 뜬 채 말했다.

"이제 보니 공수부대셨네. 만나서 반가워요. 한일월이에요."

"한재연입니다."

서로 악수하자 대기실의 적막이 날아가며 시끄러워진다. 경계 가득하던 시선에 단번에 호의와 존경이 깃든다.

무인(武人)은 마법사로 가득한 34지구에서 철저한 소수.

스턴트 배우들이 소드 마스터를 보고 반가워하는 건 당연한 일이다.

"소드 마스터! 스턴트 꽤 오래 했는데 소드 마스터는 처음 봅니다."

"나이도 어려 보이시는데 벌써 소드 마스터라니……."

"휴, 걱정했는데 다행이네요. 짐이 되기는커녕 하드 캐리 하시겠는데요? 이 정도면 배우 역할만 하는 게 아니라 상급 악몽이 튀어나왔을 때 검으로 썰어 버리는 거 아니에요?"

"볼펜으로 저 정도 검기면…… 호신기로 포격도 견딜 수 있겠어요. 와. 이거 촬영도 여러모로 편해지겠는데요?"

"안녕하세요! 아라한 신권을 수련하고 있는 김용준이라고 합니다."

"경천칠색을 수련 중인 허대왕입니다. 와, 당연히 생체력 수련자인 줄 알았는데 무공 수련자셨다니. 운동 어떻게 하십니까? 형님이라도 불러도 될까요?"

순식간에 분위기가 풀리며 사람들이 다가와 말을 건다. 나는 적당히 대답해 주며 그들을 상대했다. 여기서 일하는 동안 계속 봐야 하는데 불편한 관계를 유지할 이유가 없었다.

그 와중 누군가 묻는다.

"그런데 소드 마스터쯤 되는 분이 왜 스턴트에 지원하신 건가요? 이 정도 실력이라면 기간트가 없어도 충분히 경호원으로……."

"재연 씨!"

그때 대기실 문이 열리며 누군가 뛰어 들어온다. 고개를 돌아보니 어두운 빛깔의 한복을 걸치고 머리칼을 단

아하게 땋아 내린 여인이 서 있다.

"아, 스칼렛 씨."

평소의 화려한 코디와는 정반대의 모습이다. 아마도 자신의 맡은 배역 때문이겠지.

"여기서는 혜영이라고 불러 주세요. 아, 이게 아니라. 와 주셔서 감사해요! 많이 폐가 되었을 텐데……."

"뭘요."

어차피 다 돈 때문에 하는 일이니 크게 고마워할 것도 없는 일. 그러나 문득 의문이 들어 다른 스턴트 배우들에게 양해를 구하고 그녀와 복도로 나온다.

"그나저나 제가 동행한 것만으로 어르신들이 상황을 이해해 주십니까?"

스칼렛은 가문을 가진 사람이다. 무슨 말이냐면 어르신을 모시는 집안의 자제라는 것.

그 정도 되는 사람들이라면 내 뒷조사를 하는 것쯤은 일도 아닐 텐데 겨우 나 한 명 따라왔다는 이유로 제 뜻을 꺾는다는 건 이상한 일이다.

"네! 재연 씨 정도 되는 분이 동행한다면 안심할 수 있다고 하셨어요!"

"제 뭘 믿고요?"

"전에 테스트 하셨다고 하셨는데요? 재연 씨도 아실 거라고 하시던데……."

"아…… 그래요?"

태연하게 답했지만, 머릿속에는 의문이 가득하다.

'테스트라니? 뭔 테스트?'

내 심정을 아는지 모르는지 스칼렛이 배시시 웃는다.

"할머니가 살기를 그렇게 대범하게 넘기는 사람은 난 생처음 봤다고 하시더라고요!"

"……아, 네."

나는 그제야 상황을 이해할 수 있었다.

'아, 이런.'

예상대로 그쪽에서 뭔가 큰 착각을 하고 있는 모양이다.

'어르신이 왔다 갔었구나.'

아무래도 모습을 드러내지 않은 채, 혹은 원거리에서 뭔가를 시도한 모양인데…… 당연히 난 아무것도 느끼지 못했다.

살기라니.

대놓고 쏘아 낸 저주도 못 느끼는 내게 너무나도 소프트한 기예다. 직접 다가와 칼을 찔러야지 백날 살기를 뿜어 봤자 아무런 소용이 없는 것.

'대범하게 넘긴 게 아니라 몰랐을 뿐인데.'

그러나 그 상황을 자세히 설명할 필요는 없었기에 적당히 넘어가기로 했다.

"뭐 어쨌든 잘 해결되었다니 다행입니다."

"네! 그리고……."

스칼렛이 뭔가 더 말하려는 순간 저 멀리에서 스태프의

외침이 들린다.
"혜영 씨! 다음 씬 가셔야 합니다!"
"앗! 네!"
소리 높여 대답한 스칼렛이 내게 다시 한번 고개를 숙이더니 가벼운 발걸음으로 촬영장을 가로지른다.
'기운이 넘치는군.'
클럽에서 봤을 때와 전혀 다른 사람을 보는 듯한 활기, 진심으로 촬영 자체를 즐기는 분위기다.
"오…… 아이돌이었다는 말은 들었지만, 진짜 예쁘네요. 혹시 여친?"
어느새 다가온 일월의 물음에 어깨를 으쓱인다.
"그냥 일로 얽인 사이죠. 그나저나 잠은 어디서 삽니까?"
"아, 안내해 드릴게요. 계약서도 써야 하고."
나는 스턴트팀의 팀장 일월에게 고용 계약서를 받았다.
조건은 나쁘지 않았다. 일당이 70만 원이나 되었고 스턴트 난이도에 따라 플러스알파가 붙는 방식이었으니까. 게다가 대본이 이미 다 나와 있는 상태였기에 변수도 크게 없었다.
"숙소는 여기예요. 좀 좁긴 하지만 나름 샤워실도 있죠. 식사는 알람이 울릴 때마다 식당으로 오면 됩니다."
소드마스터라는 사실 때문인지 아니면 원래 그런 것인지 몰라도 팀장인 일월이 직접 안내해 준다.

"스턴트 촬영은 내일 아침부터 시작이에요. 호출이 올 때 즉시 움직일 수 있도록 대기해 주세요."

"네. 더 알아야 할 게 있습니까?"

"몇 개 더 있긴 한데 일하시다 보면 자연히 익숙해질 겁니다. 그럼."

가볍게 손을 흔든 일월이 떠나가고 나는 간단히 몸을 씻었다.

"……."

욕실 한쪽에 있는 거울을 본다.

뽀얀 근육질의 피부가 보인다. 온갖 흉터와 변색된 피부로 엉망이던 몸이 잘 관리한 연예인처럼 깨끗하다.

환골탈태의 힘.

만약 환골탈태에 성공하지 못했다면 나는 과다 출혈로 사망했을 것이고 그게 아니더라도 이런저런 장애를 얻게 되었을 것이다.

그만큼이나 얼음 여왕이 내게 가한 공격은 치명적이었다. 심장을 비롯한 내장이 다 찢겨 버렸으니 재생력을 충분히 활용하기 전에 죽을 상황이었다.

'정말 강했지…… 예상 밖이었어.'

얼음 여왕의 전투 능력이 실로 예사롭지 않았다. 단순히 영웅급이 전설급이 된 정도로는 도저히 설명하기 힘든 수준.

내가 얼음창을 쳐내자 즉시 냉기로 공격 방식을 바꾸

고, 냉기에 저항하는 능력이 있다는 걸 알자마자 육체를 파괴하는 방식으로 전환하는 배틀 센스는 한두 번의 전투로는 얻어 낼 수 없는 수준의 것이다.

'지금 싸우면 어떨까?'

문득 그런 생각이 들었지만 이내 고개를 흔들었다.

'내공에 좀 더 적응한 다음 가는 게 좋겠어.'

어차피 급할 것도 없는 상황 아니던가?

그렇게 결론을 내린 나는 자동 사냥을 돌려놓은 뒤 수면을 취했다.

그렇게 다음 날, 촬영이 시작되었다.

"자자, 좀 더 빠르게 해 볼게요! 증강 현실에 표시되는 가이드대로 움직여 주세요."

"아! 공격이 날아오기 전에 피하시면 어떻게 해요! 하나둘! 하고 움직이셔야죠!"

"일월 언니! 지금 되게 좋긴 한데 좀 더 크게 변신은 안 되나요? 한 5미터 정도?"

시간이 정신없이 지나간다.

나는 드림워커 학파의 마법사들이 만들어 내는 소환수들과 싸우거나, 혹은 한편이 되어 군인 복장을 한 또 다른 소환수와 싸우거나, 혹은 엑스트라 배우를 죽이는 악역을 연기했다.

딱히 어려울 건 없었다.

"오, 경력도 없으신데 되게 잘하시네요. 연기 배우신 적 있어요?"

"연기랄 것도 없죠. 원하는 걸 내놓지 않으면 죽이겠다고 협박하거나 분위기 잡는 몇 마디 하는 정도인데."

생각보다 호평을 받으며 촬영을 이어 나간다. 그 시간이 그리 길지도 않았다. 24시간 중 10시간 좀 넘게 하는 수준이었으니까.

남는 시간에는 게임을 돌린다.

'이야. 다른 차원인데도 게임이 돌아가네.'

궁극 마법으로 열린 차원의 문은 거대 설비의 효과 덕분에 게이트로 고정되었다.

물론 변덕스러운 몽환계의 특성상 영구히 유지할 수는 없지만 최소 3개월. 최대 반년까지 열어 둘 수 있다고 한다.

"아, 네메시스 주식 또 올랐네……."

'확인하지 말걸.' 하고 후회하며 포션을 비롯한 소모품 보급을 위해 성으로 들어선다.

"하기야 이렇게 잘나가고 있으니."

도시가 꽉꽉 차 있다.

사실 말이 안 되는 일이다. 전투 중심의 MMORPG에서 도시는 잠시 들렀다 떠나가는 곳이기 때문이다. 다른 온라인 게임에 비해 비정상적으로 큰 리벤지의 성들이 이제는 비좁게 느껴지는 엄청난 인파.

문제는 이 현상이 특정 성이 아니라 거의 모든 성에서 벌어지고 있다는 점이다.

칼스 : 사람 많아! 게다가 정말 현실하고 구분이 안 되잖아!?

김도운 : 크. 커스터 마이징 잘됐다. 미남이네.

달타냥냥 : 흑흑. 펫 애교를 다이아 받고 파는 게 말이 됩니까? 13개나 샀네…….

용기사케인 : 아, 가상 현실이 이런 식으로 될 줄은 몰랐네…… 아바타를 빨리 여캐로 바꿔야겠다.

네메시스에서 리진과의 기술 교류로 리벤지를 가상 세계로 만든다고 했을 때, 나는 당연히 새로운 서버를 만들 것이라고 생각했다.

리벤지는 바쁜 현대인들에게나 적합한 방치형 게임.

터치 한 번이면 퀘스트도 사냥도 자동으로 돌아가는데 가상 현실 특유의 완벽한 몰입이 무슨 필요란 말인가? 모든 방식이 새로 짜일 거라는 것이 어쩌면 당연한 생각이겠지.

그러나 뜻밖에도 네메시스는 기존 리벤지 월드를 그대로 사용했고, 내가 예상한 문제를 다른 방식으로 해결했다.

'캐릭터를 분리하다니.'

플레이어가 직접 깃들어 가상 현실을 체험하는 아바타(avatar) 캐릭터.

그리고 기존의 캐릭터로 지금까지처럼 자동으로 사냥하고 플레이하는 서번트(servant) 캐릭터.

플레이어는 아바타로 접속해 서번트를 데리고 다닐 수도 있고 혹은 그것을 사냥터로 보내 자동 사냥을 돌리고 자신은 가상 세계를 모험할 수도 있다.

쿠르릉!

"……음?"

숙소에 누워 게임 화면을 보고 있던 나는 난데없이 몰려드는 먹구름에 멈칫했다. 몽환계가 아니라 리벤지에서 벌어지고 있는 일이다.

"어느 미친놈이 또 신화급을 뽑았나?"

진짜 기가 찰 일이다. 세상에 돈이 썩어나는 사람이 얼마나 많기에 이럴 수 있단 말인가?

그러나 이어진 현상은 내 예상과 다소 달랐다.

그그긍!

쿠구궁!

기림 : 어? 뭐야. 건물들이 땅에 빨려 들어간다!

육합권마 : 성벽 색이 바뀌고 있어요!

콕콕찌른당 : 아니 잠깐…… 이거 설마……?

사람들이 놀라는 사이 성이 확장된다.

성벽은 더욱 높아지고 그 안에 온갖 시설이 들어차기 시작한다.

그리고 마침내.

〈얼음의 신전(전설)이 신화의 영역으로 승격합니다!〉

〈성주의 선택이 진행 중입니다.〉

〈꿈과 스릴과 환상의 성!〉

〈일성 랜드(신화)가 등장합니다!〉

믿을 수 없이 깔끔하고 웅장하긴 해도 어디까지나 중세의 그것에 가까운 형식을 취하고 있던 성의 모습이 변했다.

그리고 그 모습은.

"와. 여기 성주가 일성 이사라는 말은 들었지만……."

놀이공원이었다.

콕콕찌른당 : 와! 신화급 성! 이게 얼마짜리야!

복귀성기사 : 롤러코스터에 관람차에 귀신의 집에 무중력 분수대…….

익스하르트 : 레이싱 범퍼카!! 나, 나부터 탈 거야!

성의 풍경이 완전히 바뀌었다. 여기저기에 떠오른 화려

한 조명과 놀이 기구의 모습에 환호성이 터져 나온다.

대단한 광경이었지만.

"아. 제길."

가슴이 찢어진다.

"주식 더 오르겠네……."

그러나 내가 가슴 아파하거나 말거나 대륙급 이벤트가 줄줄이 이어진다.

〈불의 신전(전설)이 신화의 영역으로 승격합니다!〉

〈성주의 선택이 진행 중입니다.〉

〈쾌락과 환상의 성!〉

〈서큐랜드(신화)가 등장합니다!〉

〈땅의 신전(전설)이 신화의 영역으로 승격합니다!〉

〈성주의 선택이 진행 중입니다.〉

〈강철과 거인의 성!〉

〈기가스 랜드(신화)가 등장합니다!〉

"와 맙소사."

아무 성이나 신화급으로 승격시킬 수는 없다. 신화 클래스가 그러했듯 화점에 위치한 성주만이 고를 수 있던 선택지.

그러나 실제로 신화 성을 가진 이는 없었다. 승격에 들어가는 돈이 어마어마한 데다 설사 승격시켜도 그만한 이득이 없었기 때문이다.

'하기야. 도시를 제대로 둘러보지도 않는 게임 속에 놀이공원을 만드는 게 무슨 의미가 있었겠어?'

그러나 리전과의 기술 제휴 후 현실과 구분이 불가능한 가상 현실이 실현되면서…… 상황은 전혀 달라졌다.

수십억 단위의 돈을 쓸 만한 가치가 생긴 것이다.

"한번 들어가 보고 싶은데…… 아, 접속기를 가져왔어야 했나?"

그러나 불가능한 일이다. 접속기가 그리 작은 사이즈도 아니고 일하러 오면서 그런 걸 들고 오는 무개념 짓을 할 수는 없다.

네메시스 – 15,188,000원(+253,000원)↑

"악! 내 눈!"

무심코 주식 프로그램을 켠 나는 침대 위를 뒹굴었다.

'확인하지 말걸! 주식 팔지 말걸! 아니 왜 파니까 오르고 난리야!'

온갖 후회가 휘몰아친다. 결과적으로 난 주식으로 항상 이득만 봤음에도 가슴이 쓰리다. 인간의 욕심이란 게 참 끝이 없다 싶었다.

"아, 상점 열 수 있을까? 하. 34주나 사야 하는데……."

한탄하고 있을 때였다.

투웅.

기묘한 울림과 함께 1인실의 불이 꺼진다. 그뿐이 아니었다.

"우에옹!"

리벤지가 종료되고 화면을 띄우고 있던 체다마저 괴상한 소리를 내며 눈을 감는다.

"……뭐지?"

침대에서 벌떡 일어난다. 시간을 확인하려 했지만 시계마저 불이 나갔다.

"나와!"

"엎드려!!"

"허튼짓하면 그대로 머리통을 부숴 주마!!"

험악한 목소리와 함께 밖이 소란스러워진다. 그리고 이내 방문이 부서지며 사람 몸통만 한 사이즈의 총이 실내를 겨눈다.

"나와."

"……."

나는 부서진 문 밖으로 보이는 거인을 멍하니 바라보았다.

기가스(Gigas).

대우주의 전쟁사를 새로 쓴 최신예 병기다. 탑승자에게 강력한 물리력은 물론이고 거대한 영격까지 선사하는 경이적인 무장.

하지만 몽환계에 난데없이 웬 기가스란 말인가?

철컥!

그때 묵직한 쇳소리가 들린다. 사람 머리통이 들어갈 만한 크기의 총구가 날 겨누고 있다.

"마지막이다. 나와."

"……."

나는 일단 두 손을 들고 방에서 나왔다. 방 밖에는 나처럼 끌려 나온 수많은 사람이 있었다.

"크윽…… 마, 마나가 안 움직여!"

"힘이 빠진다……."

"말도 안 돼. 어떻게 이 정도 수준의 마나 무효 역장을?"

"모두 꼼짝 마! 가만히 있어!"

사람들이 힘을 못 쓰는 동안 험상궂은 외모의 사내들이 달려와 사람들을 무릎 꿇리고 두 손을 등 뒤로 당겨 묵직해 보이는 강철 수갑을 채우고 있다.

철컥!

물론 그건 나도 마찬가지였다.

'아, 자세가 좀.'

팔 근육을 키워 놓은 덕에 두 팔을 뒤로 당기고 있는 자세가 불편하다. 나는 주변 상황을 살피면서도 슬쩍 어깨를 당겨 자세를 고쳤다.

그러나 그 순간.

끼익!

'앗.'

황급히 동작을 멈춘다. 그리고 깨달았다.

'종잇장 같다.'

그렇다. 마치 종잇장 같았다. 창호지까지는 아니다, 편지지 정도.

나는 언제 찢어질지 모르는 강철 수갑을 조심스럽게 잡고, 주변 분위기를 살폈다.

그 사이 소속 불명의 기가스와 괴인들이 촬영팀을 한 장소로 모아 놓은 상태였다.

"다, 당신들 대체 무슨 짓을 하는 겁니까? 지금 밀린 일정이 얼마나 많은데 이런……!"

"너희들 누구야!? 우리 영화사를 후원하는 어르신이 몇 명인데 이런 짓을……!"

스태프 중 몇이 반발한다.

'완전히 제압당한 상황에서 성질을 부리다니. 과연 평화로운 34지구라고 해야 하나…… 아르데니아였으면 감히 대가리를 드는 놈이 없었을 터인데.'

역시나 반발에 대한 대답은 무자비한 폭력이다.

뻐억! 퍽!

"아악!"

"이, 이게 무…… 컥!?"

피투성이가 된 스태프들이 바닥을 뒹굴자 웅성거리던

분위기가 차갑게 가라앉는다.

“7클래스인 감독님도 마법을 못 쓰고 있어.”

“이게 말이 돼? 이 정도 수준의 마나 무효화가 가능하다고?”

“설마 적 중에 어르신이 있는 건가? 아니면 전함 같은 걸 끌고 왔다든지.”

“미치지 않고서야 몽환계에 어떻게 전함을 끌고 와? 전함이 한두 푼짜리도 아니고.”

사람들이 술렁이는 동안 나는 스태프들을 포위하고 있는 기가스를 살폈다.

‘기급이 10기, 수급이 1기다.’

기가스의 등급은 신성인수기(神星人獸器)의 다섯 단계로 나눠진다.

신, 별, 사람, 짐승, 기계의 이름을 가진 강철의 거인들은 등급에 따라 엄청난 격차를 가지며 신급의 기가스는 스스로 초월자에 맞먹는 힘을 가지고 권능에 가까운 힘을 휘두른다고 한다.

‘다행히…… 정품은 아니군. 가품이다.’

한때 기가스에 관심이 많았고 기가스 관련 업체인 웅녀철강에서 일하기도 한 나는 대번에 알아볼 수 있었다.

녀석들의 장갑에는 인증 마크도, 로고도 없다. 당연한 말이지만, 그렇다면 기가스의 코어도 아이언 하트가 아닌 소울 하트일 것이다.

'하지만 그렇다고 약한 건 아니다. 방심은 금물이지.'

정품과 10배 가까운 가격 차이가 나지만 화력도, 기동력도, 출력도 거의 동등하다.

차이가 있다면 딱 한 가지. 아이언 하트 특유의 사기적인 기능, [상성 우위]가 없을 뿐.

물론 그 하나가 너무나도 큰 차이겠지만 비무장이나 다름없는 나는 정신을 바짝 차려야 한다.

"크윽…… 힘이, 힘이 안 들어갑니다. 이게 대체 뭐죠?"

스턴트팀 중 생체력을 익힌 이들이 정신을 못 차리는 모습이 보인다. 그들의 육신을 강화하는 생체인자에 문제가 생겼다는 뜻이리라.

'하지만 시간이 지나면 회복될 거다. 생체력은 [저항]과 [적응]의 능력이니까.'

과연 테러범 녀석들도 그 사실을 염두에 두고 있었던 듯, 일사불란하게 움직이고 있다.

"생체력 수련자들을 따로 분리해! 구속구를 채워!"

"조금이라고 의심스러우면 쏴 버려! 어차피 생체력 수련자는 잘 안 죽는다!"

나는 사람들 사이에 섞여 계속 분위기를 살폈다.

테러범들의 숫자는 대략 50여 명 정도로 촬영팀의 반도 안 되는 숫자였지만 모두가 총화기로 무장하고 있다. 마나 무효화 공간에서는 항거할 수 없는 적이라 해도 무방할 정도.

'거기에 기가스.'

10기의 기급 기가스와 1기의 수급 기가스가 적절히 움직이며 포위를 굳히고 있다. 그냥 서 있는 정도가 아니라 각각의 무장으로 사람들을 겨누고 있는 상황!

그 기세가 어찌나 서슬 퍼런지 전투 이능을 수련한 스턴트 배우들도, 돌발 사태를 대비하고 있던 경호원들도 감히 반항하지 못한다.

"이놈은 뭐야? 몸 좋은데 생체력 수련자 아냐?"

기관총을 들고 있는 30대 후반의 여인이 내 관자놀이에 총구를 겨누며 묻자, 주변에 있던 다른 녀석이 답한다.

"아! 그놈 여기 있었네요. 이름은 한재연. 나이는 23살, 소드 마스터랍니다."

"뭐? 검술 완성자가 스턴트를 한다고? 야. 너 뭐야? 23살에 완성자면 있는 집 자식 같은데 왜 여기서 이러고 있어?"

총구로 관자놀이를 툭툭 치며 묻는다.

나는 어깨를 으쓱였다.

"그냥 용돈이나 벌러 왔지. 그리고 있는 집 자식은 아니야. 나도 이민자 출신이니까."

내 말에 주위를 포위하고 있던 테러범 녀석들이 술렁거리는 게 느껴진다.

"이민자라고?"

"이민자 출신이…… 23살에 소드 마스터?"

"거짓말, 그런 게 가능한가?"

나는 녀석들의 반응에 확신할 수 있었다.

'아, 역시…… 이민자들인가.'

내가 한동안 홈쇼핑 채널에서 스턴트 활동을 할 때 호신용품을 판매하는 쇼호스트가 항상 꺼내는 단어가 바로 이민자들이었다.

범죄를 저지르면 반드시 체포되고, 부정부패라는 게 존재할 수 없는 34지구에서 호신용품이 필요한 경우는 많지 않을 테니까.

"이민자에…… 이 나이에 소드 마스터라면……."

"설마……."

나를 보는 시선이 달라지는 게 느껴진다. 전혀 반갑지 않은 인식 변화였다.

'아, 이 등신들 설마 나한테 뭐 기대하려는 건 아니겠지?'

실시간으로 이민자 이미지를 나락으로 보내는 놈들에게 받기에는 썩 마땅치 않은 시선. 심지어 내 관자놀이를 총구로 툭툭 치던 여인은 기대에 찬 표정으로 묻기까지 한다.

"너, 혹시 출신이……."

"자자! 사담은 나중에! 다 묶어 두고 감시 철저히 해! 황제 폐하께서 오신다!"

날카로운 목소리에 테러범들의 표정이 엄숙해진다.

억류되어 있던 스태프 중 몇이 황망한 듯 중얼거린다.

"아니, 이게 무슨…… 황제?"

"다른 곳도 아니고 우리 34지구에서 이런 헛소리를……."

사람들이 황당해하거나 말거나 테러범들은 엄숙한 표정으로 예를 취했다.

그리고 그가 나타난다.

쿵!

묵직한 울림과 함께 내려서는 이는 잘생긴 얼굴의 청년이다.

그리 크지 않는 키에 반짝이는 금발을 가진 백인. 화려한 예식의 복장과 로브를 걸친 그의 손에는 자신의 키보다, 아니 정확히는 자신의 덩치보다도 거대한 지팡이가 들려 있다.

"피해 없이 잘 제압했군. 모두 수고했다."

"황제 폐하 만세!"

"황제 폐하 만세!"

"이미 잃어버린 자리를 강조하지 마라. 부끄러울 뿐이니까."

여상한 태도로 손을 흔든 사내가 미리 준비되어 있던 자리에 앉는다.

누구보다 단단히 묶여 있던 영화감독. 앨런 그레이가 그를 보며 신음을 토했다.

"당신 미쳤소? 한 학파의 장이라는 작자가 이런 범죄를 저지르다니!"

'한 학파의 장?'

나는 다시 눈을 움직여 새로 모습을 드러낸 사내를 바라보았지만 전혀 모르는 얼굴이다. 하기야 학파가 한두 개도 아니고 얼굴만 보고 알아본다는 건 어려운 일이다.

"범죄라니 듣기 불편하군. 그저 선택할 수 있는 최선을 행했을 뿐인데."

"선택할 수 있는 최선이라고? 이 미친 작……."

퍽!

"말조심해라 건방진 놈!"

거센 주먹질에 앨런이 바닥에 쓰러진다. 그는 분명 7클래스급 고위 마법사였지만 마나의 힘을 쓸 수 없는 지금 그냥 평범한 중년에 불과했다.

"너무 거칠게 다루지 마렴. 맥. 우리 말을 세상에 전달해야 할 창구인데."

"죄송합니다. 폐하. 참을 수 없어서 그만……."

나는 그 뻔한 연극에서 고개를 돌려 주변을 살폈다. 동네 하나 규모였던 촬영 인원 전부 완전히 제압되어 있다. 아무래도 빠져나간 사람은 없는 모양이었다.

이번에는 사방을 포위하고 있는 테러범들을 살펴보았다. 그들의 표정에 각오가 서려 있다.

'각오라.'

당연한 일이다. 34지구는 이런 짓을 하고 그냥 넘어갈 수 있는 그런 세상이 아니다. 그들이 가진 나름의 정의와 대의는 인류 전체가 가진 [보편의 정의]에 짓눌리겠지.

"아, 너무 거칠게 굴지 마세요. 이러지 않으셔도 따라갈 테니까요."

"이거 놔요! 제 발로 걷겠어요!"

그러는 사이 새로운 인물들이 끌려온다. 우리 영화. 교수 지망생의 두 주인공이었다.

'어?'

여자 주인공은 아는 사람이다. 당연한 일이다. 애초에 내가 이곳에 오게 된 것 자체가 여주인공, 스칼렛 때문이었으니까.

그런데 남자 주인공도 아는 사람이었다.

"이성재! 과연 소문대로 잘생겼군. 좀 불편한 자리겠지만 만나서 반갑네."

"하하하. 브람 위저드 님이시군요. 저도 만나서 반갑습니다. 많이 불편한 자리긴 하지만요."

"뭐? 하하하!"

브람이라는 사내가 호쾌하게 웃는다. 그러나 그런 웃음과 다르게 그 눈동자에 담긴 것은 불쾌감이었다.

"이 건방진 새끼가 여기가 어느 자리라고!"

과연 브람의 옆에 서 있던 덩치의 사내가 매섭게 주먹을 휘두른다.

그러나 앨런 감독 때와는 상황이 달랐다.

팟!

주먹이 허공을 휘젓는다. 성재가 허리를 젖혀 주먹을 피해 낸 것이다.

"이, 이 새끼가?"

"적당히 하십시오. 마력만 제한되지 않았어도 당신은 제 숨결 한 번에 죽었을 겁니다. 그 알량한 체격 하나 가지고 위세를 부린다니 부끄럽지도 않습니까?"

"너, 너 이 새끼가……."

"그만."

브람이 손을 들자 덩치의 사내가 씩씩거리면서도 뒤로 물러선다. 그리고 그 즈음.

나는 스칼렛과 고개를 마주쳤다.

"……."

"……."

대화를 나누지는 않았다. 그럴 상황은 아니었고. 하지만 내가 적당히 고개를 끄덕여 주자 스칼렛의 눈에 담겨 있던 불안감이 씻겨 나간다.

'날 너무 믿는 거 아닌가?'

황당해하는 사이 브람이 말한다.

"앨런, 외부와의 통신을 준비해 주겠나?"

"경찰에 신고라도 하려고?"

이죽거리는 앨런의 말에 브람이 답한다.

"아니. 강철계로 연결해라."

"……뭐?"

앨런이 자신의 귀를 의심하는 표정을 지었다. 주변의 모든 사람이 입을 다물지 못한다.

"미친? 어디라고?"

"정신 나간 거 아냐?"

강철계(鋼鐵界).

34지구는 물론이고 대우주 기준에서도 꽤 큰 규모의 세력을 가진 레온하르트 제국에서도 신성시되는 위대하고 위대한 게임 마스터, 관대하가 거주하는 고유 세계다.

실제 거주하는 인구는 1억이 채 되지 않고 그 넓이 또한 제한적이지만, 최상급 신인 관대하의 영역이라 할 수 있는 강철계의 역량은 34지구의 수십 배가 넘는다고 알려져 있다.

광화문 광장이 성지라 불린다면 강철계는 현인신이 머무는 신계(神界) 그 자체!

그런데 일개 테러범이 그 장소를 언급한 것이다.

"미친 소리군. 내가 잘나가는 영화감독이라고 해도 강철계와는 선이 없어. 어디서 무슨 소리를 들은 것인지는 모르겠지만."

"너는 요청만 해. 선은 다른 사람이 있으니까."

"……뭐?"

"안 그래, 아가씨?"

브람이 고개를 돌려 스칼렛을 바라본다.

스칼렛의 얼굴이 돌처럼 딱딱하게 굳어 있다.

"무슨, 말인지, 모르겠는데요."

다닥다닥 끊겨 나오는 목소리. 그러나 그러거나 말거나 브람은 여유롭게 웃으며 말했다.

"내가 재미있는 말을 들어서 말이야. 그 위대하고 위대한 게임 마스터에게 형제가 하나 있는데…… 그의 늦둥이 딸이 굳이 강철계에서 빠져나와 연예인을 한다며 설친다고 하더라고. 참 말도 안 되는 소리지?"

"……."

스칼렛은 대답하지 않았다. 대신 다른 사람들이 술렁거린다.

"이게 무슨 소리야…… 혜영 양이 게임 마스터님의 조카라고?"

"그게 무슨……."

퍼져 나가는 경악 속에서 브람이 말한다.

"통신이 연결되면 강철계에 신호를 보내. 당연히 그런 수단이 있을 거다."

"그런, 그런 건 없어요! 저는 그냥 망한 아이돌 출신 배우일 뿐이에요! 강철계라니 그런 건."

"아, 당연히 그냥 연락하면 안 돼. 허튼짓한다면 현인신의 소중한 조카가 죽어 버릴 거라는 것도 알려 줘야지."

그렇게 말하며 브람이 오른손을 들었다. 그의 옆에 서 있던 거대한 스태프가 휘황찬란한 빛을 발한다.

"이쪽의 각오가 얼마나 단단한지 그들이 알아야 할 테니까!"

"자, 잠깐! 기다려요! 제가 방법이 있……!"

콰드드득!

뿜어진 빛이 거대한 야수의 모습으로 화하더니 한 곳에 따로 모아 두었던 생체력 수련자들 사이를 스쳐 지나갔다.

삽시간에 십여 개의 머리통이 바닥에 떨어지고-

촤아악!

머리를 잃어 버린 목에서 피가 뿜어진다.

"꺄아아악!?"

"죽였어? 죽였어? 죽였다고!?"

"어떻게, 어떻게 이런 일이……!"

비명이 터져 나온다. 모두가 경악해 공포에 잠기는 모습이 보인다.

'이런 상황에 부닥쳤음에도 테러범들이 감히 [살인]을 할 거라고 예상하지 못했기 때문이겠지.'

과거에는 정의신의 규율이 아주 빡빡했다고 한다. 음주운전이라도 한 번 하면, 훈육하겠다고 아이에게 체벌을 가하면, 경찰이나 검사. 의사 등이 자신의 업무에 소홀히 하면 그 모든 것이 낙인이 되었으니까.

물론 지금은 달랐다.

지금은 예전과 비교할 수 없이 [정의]가 헐렁하다고 한다. 정말 어지간히 망나니처럼 살지 않는 이상 일반인은 정의신의 징벌을 걱정하지 않을 정도.

그러나……. 지금도 여전히 빡빡하게 적용되는 규율이 존재한다.

바로 살인이다.

"미쳤어! 살인을 한다고? 그것도 다수의 사람을 학살해?"

"이렇게 되면……!"

경악에 빠져 있던 모든 사람의 시선이 브람에게 향한다.

그리고 그들의 예상대로의 일이 벌어지고 있었다.

끼이익--!

시끄러운 소리와 함께 브람의 오른쪽 볼에 문신이 새겨진다. 손을 휘저어 십수 명의 머리통을 따는 모양이 새겨져 있었는데 그 문신은 그저 섬세한 정도를 넘어 살아 움직이고 있다. 계속해서 움직이며 죄의 순간을 재현하는 것이다.

죄의 낙인.

정의신의 징벌이다. 이제 죄의 낙인이 새겨졌으니 정의신의 신관들이 그를 탐지할 수 있다.

정의신의 하급 신관은 15킬로미터. 중급 신관은 150킬로미터. 상급 신관은 1,500킬로미터를 탐지한다.

사실상, 지구상에 발 디딜 곳이 없다는 뜻. 그는 이미 죽은 목숨이나 다름없었다.

"통신을 연결해라, 앨런."

"아, 네, 네, 네네……."

아까의 기세는 온데간데없이 앨런이 장치의 잠금을 풀어 통신을 연결한다.

7클래스라고 해도 그는 온실 속의 화초.

피비린내 나는 살육의 현장에서는 다른 사람들과 마찬가지로 정신을 차리지 못한다.

'각이다.'

물론 그들의 이야기.

귀족들이 재미로 평민 사냥을 다니던 중세 랜드에서 20년이나 산 내 입장은 좀 달랐다.

'정당방위 각이야!'

지금에 와서는 부끄러운 기억이지만, 나는 어린 시절 일진 사냥꾼이라는 별명으로 불린 적이 있다.

이러니저러니 해도 내가 휘두른 것은 결국 폭력.

그러나 숱하게 경찰서에 끌려갔음에도 난 단 한 번도 처벌받은 역사가 없다. 바꿔 말하자면, 그만큼이나 정의신의 규칙을 잘 이해한다는 뜻이기도 하다.

"하하하! 멍청한 것들! 너희들은 지금껏 외면해 온 목소리를 들어야 한다! 그리고 답을 내야 할 것이다! 너희의 그 오만…… 한?"

미친 듯 웃음을 터트리던 브람의 말이 멈춘다. 자신에게 닥친 위협을 감지했기 때문이리라.

치치칭!

빛의 야수가 브람의 몸을 휘감는가 싶더니 여덟 겹의 보호막이 생겨난다.

그리고 그 위를 오른쪽 수갑이 때린다.

쩌저저정!

단 한방에 여섯 겹의 보호막이 찢어진다. 나는 왼쪽 수갑을 든 채 녀석과 눈을 마주쳤다.

"아, 안."

"돼!"

쩌저저정!

던져진 왼쪽 수갑이 두 겹의 보호막을 찢어 버린다. 그리고 그대로 날아가-.

뻐억!

브람의 가슴팍을 후려쳤다.

강철 수갑이 녀석의 갈비뼈를 부수고 들어가 등 뒤로 튀어나오는 것을 확인했다. 두말할 필요도 없는 치명상.

물론 상황은 이제 시작이다.

"이 개자식이!"

인질들 옆에서 총기를 겨누고 있던 여인이 나를 향해 총구를 겨누고 방아쇠를 당겼다.

신속한 반응이었지만 내 엄지발가락이 신발 위에 올려 두었던 돌멩이를 때리는 게 먼저였다.

빡!

신발이 터져 나가며 솟구쳐 오르는 돌에 얻어맞은 여인의 오른팔이 부러진다.

드르르륵!

총구가 위로 솟구치고 탄환이 허공을 수놓는다. 나는 그대로 달려들어 총기를 빼앗았다. 다행히 사용자 인식이 없는 구식.

그대로 총기를 들어 올리는 테러범 녀석들에게 갈겨 주었다.

드르륵!

"컥!"

"으악!"

비명과 함께 우르르 쓰러진다. 나는 삽시간에 탄창을 비우고 그대로 뛰쳐나갔다.

"엄폐물을 찾아 숨어!"

그렇게 외치고는 고개를 돌려 나를 노리고 움직이는 기가스를 확인하려 했다.

섬뜩!

그러나 그 순간 [불가해한 전투 예지]가 작동. 나는 조금의 망설임도 없이 상체를 젖혔다.

파앙!

공간이 찢어지며 주먹만 한 탄환이 내 머리가 있던 자리를 스쳐 지나간다. 풍압에 머리가 휘날릴 정도의 위력이었지만 오히려 안도감이 들었다.

'역시!'

만일 지금 사격을 더 낮은 각도로 쐈다면 나는 어쩔 수 없이 그것을 막아야 했을 것이다.

복합 장갑도 뚫어 버리는 기가스의 탄환에 일반인이 휩쓸린다면 대참사가 나기 때문.

그러나 기가스 파일럿은 그러지 않았다.

'하기야 녀석들도 살인이라는 선택지는 최후로 미루고 싶을 테니까!'

녀석들의 우두머리가 살인이라는 퍼포먼스를 보였지만 그건 바꿔 말해 살인이라는 게 그만큼 큰일이라는 뜻이기도 하다.

34지구의 기초 교육을 받고 자란 이들에게 살인은 쉽게 넘어서기 힘든 금기였다.

"물러서요!"

"맡기고 다들 숨어요!"

사방으로 흩어지는 스태프들 사이에서 나 홀로 튀어 나간다. 테러범 녀석들이 허튼 생각을 하기 전에 어그로를 잔뜩 끌어놔야 한다.

"이 자식! 어딜 함……!"

빽!

"끄억!?"

내 앞을 막아섰던 테러범이 덤프트럭에 치인 고라니처럼 날아간다.

분명 90킬로그램도 안 되는 체중이지만 그 안에 담긴 힘은 거대 괴수 이상! 게다가 나는 긴 시간 동안 이 무지막지한 괴력에 적응해 왔다.

팡!

미사일처럼 튀어 나가 가장 가까운 기가스의 등짝에 붙었다.

섬뜩.

전투 예지가 작동한다. 나는 나무를 타는 다람쥐처럼 재빠르게 기가스의 가슴팍으로 이동했다.

텅!

[크악!]

다른 기가스의 사격을 등판에 얻어맞은 놈의 외부 스피커로 비명이 터져 나온다. 그 사이 나는 이미 바닥에 내려 선 상태였다.

또다시 전투 예지.

'와, 매초 살벌하구만.'

쿵!

진각을 밟는다. 사격을 얻어맞아 휘청거리던 기가스의 오른 다리를 잡아들었다.

그리고 그대로.

"뭣!?"

[뭐!?]

[뭐라고!?]

"이런 미친……!?"

쾅! 쿠당탕!

기가스를 집어던졌다.

등판에 사격을 얻어맞은 기가스와 그 기가스에 얻어맞은 기가스가 바닥을 뒹군다. 한순간 촬영장이 침묵에 잠긴다.

"이, 이게, 이게 무슨…… 기가스를 집어던졌어?"

"10톤…… 아니 15톤은 넘을 텐데?"

당연한 말이지만 나는 놀라고 있지 않았다.

쾅!

달려 나간다. 아무리 나라도 기가스의 사격을 맞게 되면 멀쩡할 수 없다. 잠시도 멈추면 안 된다.

'아직도 내공은 안 움직이나?'

내공을 운용했다. 꼼짝도 하지 않는다.

바로 포기하고 돌진했다.

타타타타타!

이제야 정신을 차린 테러범들이 사격을 가했지만 전투 예지조차 작동하지 않는다. 혼란에 빠진 녀석들은 고속으로 움직이는 날 맞출 상황이 아니었다.

투캉!

폭음과 함께 탄환이 쏘아진다. 나는 피하고 돌진했다.

[대체! 어떻게 피하는 거야!?]

기겁하는 소리를 들으며 기가스의 다리를 붙잡는다. 3.5미터짜리 기가스에 붙은 내 모습은 어른에게 대항하려는 아이처럼 위태로웠지만.

그 애가 어른보다 힘이 더 세다.

콰득!

하부 장갑 중 하나를 붙잡아 그대로 잡아 뜯었다. 거친 소리와 함께 장갑이 뜯어지며 연결부가 그대로 모습을 드러낸다.

그대로 뽑아 버린다.

쿵!

오른 다리를 잃어버린 기가스가 그대로 쓰러진다. 녀석은 나머지 한 다리로 땅을 박차며 발광을 떨었지만 아무리 덩치와 무게에서 차이가 나도 이렇게 붙은 상태에서는 힘 차이를 어쩔 수 없었다.

와지직!

오른팔까지 뜯어 버린다. 이렇게 두 짝만 뜯어놔도 전투 능력은 상실. 그래도 혹시 몰라 오른팔에 들려 있던 총기를 잡아들었다. 내 키보다 큰 물건.

그대로 투척한다.

쾅!

나를 겨누고 있던 기가스 한 대가 총기에 얻어맞아 바

닥을 뒹군다.

[말도 안 돼. 이런 게 무슨…….]

[이게 뭐야? 이거 꿈인가? 우리가 몽환계의 흐름에 휩쓸렸나?]

[다, 당장 깨어나야……!]

[야, 이 등신들아 정신 차려!]

나는 멍하니 서 있는 기가스를 놔두고 빠릿빠릿하게 움직이는 녀석들부터 정리했다.

더해 여기저기 오가는 도중 다른 테러범들도 정리했다.

어려울 건 없었다.

퍽퍽퍽!

"컥!"

"크아악!"

그냥 지나가는 김에 어깨 빵 한번 해 주면 사방으로 튕겨 나가 전투 불능에 빠진다. 스턴트 팀과 경호원 중 몇이 바닥을 뒹구는 총화기를 챙기는 모습이 보인다.

'좋아, 순조로워! 이대로…….'

그러나 그렇게 생각하는 순간.

섬뜩.

전투 예지가 발동한다. 회피가 불가능한 공격! 나는 즉시 온몸을 공처럼 둥글게 말았다.

퍼억!

"끅!"

수십 미터를 날아간다. 그리고 날아가며…… 누군가와 눈을 마주쳤다.

영화감독 앨런 그레이가 커다란 카메라로 나를 찍고 있었다. 아까 얻어맞은 부상으로 얼굴이 피투성이인데도 두 눈이 형형하게 빛나고 있다.

"아니, 저 양반이……?"

기가 막힌 상황에 신음하며 그대로 하늘을 날아 촬영장 외벽에 충돌한다.

쾅!

바닥으로 떨어져 내린다. 저 멀리 보이는 카메라를 무시하고 전투에 집중한다.

'무슨 공격이었지? 마나 무효화 공간에서 힘을 쓸 수 있는 건가?'

누가 한 공격인지는 궁금해할 필요 없다. 저 멀리서 다른 기가스보다 머리 하나는 더 큰 기가스가 무시무시한 기세로 달려오고 있었다.

'수급 기가스. 저 형태는……. 녹색 곰이다.'

출력과 근접 공격에 치중한 기종이다. 그리고 조금 전의 공격으로 짐작하건대, 조종사 녀석은 염동력과 비슷한 형태의 어빌리티를 소유하고 있을 것이다.

[네놈! 감히 폐하를! 죽여 버리겠다!]

괴성과 함께 달려든다. 녀석의 주위로 거대한 영파가 뿜어지고 있다.

쾅!

"큭!"

돌진을 피했지만 뒤이어 온 영파에 얻어맞고 바닥을 뒹군다. 나는 황급히 몸을 일으켜 땅을 박찼다.

콰쾅!

녹색 곰의 공격이 땅을 때리자 거대한 크레이터가 생긴다.

아무리 인간 이상의 내구를 가진 나라도 맞으면 죽을 수밖에 없는 공격이다.

쾅!

"아 제발! 마나 무효화 공간이잖아! 왜 너만 쓰냐!"

다시 영파에 얻어맞아 바닥을 구르자 절로 비명이 나온다.

체급 차이가 있는 인간과 기가스의 전투에서 심지어 기가스만 영력을 쓴다니 지나치게 불공평한 일.

그러나 상대는 페어플레이에 관심 없는 듯 등에 메고 있던 거대한 총기를 들었다.

고오오!

총기에 에너지가 집중되며 영파가 사방을 가로막는 게 느껴진다. 그야말로 필중의 일격!

결국 나는 한탄할 수밖에 없었다.

"아, 여유 있을 때 미리 해결해 놓을 걸."

방학숙제를 미루고 미루다 개학을 마주한 학생 같은 기

분으로 나는 말했다.

"로그인."

팟!

삽시간에 배경이 변한다. 까마득하게 먼 대지와 끝없이 펼쳐진 창공이 눈에 들어온다.

그리고 그 한가운데 있는 얼음 여왕의 모습 역시도.

[이게 무슨…… 그만한 부상이 단번에 회복된다고.? 인간이?]

이해할 수 없는 무언가를 보는 시선에 한숨이 절로 나온다.

"에휴. 여기나 저기나 싸움판이구만."

오른손을 보았다. 오랜만에 보는 +9강의 괴력검(희귀)이 들려 있다. 내공을 불어넣어 본다.

웅!

잠시. 한 2초 정도 딜레이가 있었지만 이내 막고 있던 무언가가 터져 나가는 느낌과 함께 검기가 터져 나온다.

펄럭!

그때 헤이즈를 태운 카심이 추락하던 나를 받아 든다.

"재연아! 괜찮아? 방금 얼음 검에 온몸이 뚫리는 것처럼 보였어!"

"아, 괜찮아. 그보다 이거 잘 봐."

괴력검을 단단히 잡아 쥐며 내공을 운용한다.

항상 상상만 해 오던 모든 것을 가능하게 하는 진기가

사납게 끓어오르는 게 느껴진다.

"이게 내가 너한테 가르쳐 준 거니까."

그렇게 말하며 검을 휘두른다.

찰나결(刹那訣) 제 1식.

일검세(一劍勢).

팟!

빛이 번쩍인다. 30미터 이상 떨어졌던 냉기를 쏘아 보내려 하던 얼음 여왕이 멍한 표정으로 나를 바라본다.

[……이게, 무슨? 갑자기?]

"갑자기 아니야. 많은 일이 있었거든."

[이해할 수 없는 소리를……]

그 말을 마지막으로.

피잉.

얼음 여왕의 몸이 대각선으로 갈라진다. 한번 그녀를 일도양단한 적 있던 나지만 그때와 지금은 모든 것이 다르다.

무공이라는 요소의 각성은 단순한 진기의 유무가 아니라,

내가 품고 있던 검의(劍意)의 질 자체를 바꿔 버렸던 것이다.

콰드득! 쾅!

얼음 여왕의 몸이 파괴되어 사방으로 흩어진다. 그리고.

[축하합니다! 한 길드가 얼음 여왕을 해치웠습니다!]
[최고 기여도. 한재연.]

월드 메시지와 함께 하늘에서 수백 개의 아이템이 쏟아진다.

[얼음 여왕의 공훈 상자(전설)]. [얼음 여왕의 궁지(전설)]. [극야(영웅)]. [아이스 스피어(영웅)]. [프로즌 아머 제작 레시피(영웅)]. [혹한의 목걸이(희귀)]……

드랍 템의 숫자와 수준은 어마어마하다. 파티 플레이로 잡을 수 있는 보스 몬스터와 길드 단위로 움직여야 하는 레이드 몬스터는 그야말로 차원이 다른 존재이기 때문이다.
팟!
당연한 말이지만, 그 모든 아이템은 카심의 자동 수거 능력으로 내 인벤토리에 들어왔다.

[인벤토리 중량이 75%를 초과했습니다!]
[인벤토리 중량이 75%를 초과하여 이동 속도가 느려집니다!]

[인벤토리 중량이 100%를 초과했습니다!]

[인벤토리 중량이 100%를 초과하여 이동 속도가 극도로 느려지고 체력, 생명력, 마나가 천천히 감소합니다!]

쿵!

카심이 땅에 내려선다. 여기저기서 환호성이 터져 나온다.

"성주님께서 얼음 괴물을 처치하셨어!"

"세상에! 하늘을 날아다니면서 싸우시다니!"

"그 마지막 공격 봤어? 하늘을 가를 듯한 오러 블레이드라니!"

호들갑을 떠는 녀석들을 향해 스틸스톤이 호령한다.

"적당히 하고 피해를 수습해! 사상자 수 확인하고! 건물 잔해를 정리해라!"

"네, 넷!"

사방으로 흩어지는 병사들. 스틸스톤과 헌드레드가 내 쪽으로 다가온다.

"괜찮으십니까?"

"물론."

그렇게 답하면서 인벤토리를 정리한다. 무게가 무거운 장비들을 모두 꺼내서 무너진 영주성 한편에 쌓아 두자 중량 패널티가 해제된다.

그리고 그 상태에서.

송편을 꺼내 먹는다.

[찬란한 옥토끼의 달빛 송편(전설)을 섭취하였습니다! 4시간 동안 회복력과 마나 회복력이 300포인트 증가합니다! 특수 자원 회복력이 5배 증가합니다!]
[10분에 한 번씩 적의 공격을 1회 방어합니다!]
[20분에 한 번씩 랜덤한 상태 이상을 해제합니다!]

추석의 마지막 날, 이미 남은 시간 이상의 전설 송편을 먹은 고레벨 유저들이 줍지 않은 물건.
지금껏 아끼고 아끼던 전설 송편의 힘이 온몸을 휘감는다.
그렇게 9분 50초.
조금이나마 몸에 쌓여 있던 피로감이 씻겨 나가는 걸 느끼며 말했다.
"로그아웃."

팟!
어느새 나는 기이하게 빛나는 총을 든 기가스 앞에 서 있다. 역시나 내공은 다시 봉인된 것을 느끼며 차크라를 연다.
정체불명의 마나 무효화 공간조차 내가 아르데니아를 여는 것을 막지는 못했다.

"아르데니아. 거문(巨門). 개방(開放)."

나는 오른손을 들었다.

"소환(召喚). 괴력검."

묵직한 형태의 한손 검이 손에 들린다.

[무기……? 다 소용없다! 죽어라!]

녹색 곰의 화기에서 푸른빛이 뿜어진다. 차라리 포격에 걸맞은 공격!

그러나 그 순간.

[달빛 방어!]

[9:59]

포격이 너무나 간단히 소멸한다.

[뭐…… 어?]

들려오는 경악성에 씨익 웃으며.

그대로 땅을 박찼다.

쾅!

쏘아진다. 그 속도는 제법 빠르지만, 아쉽게도 거리가 너무 멀다.

내 근력은 괴물 그 이상이라 할 수 있는 수준이지만 그래 봐야 땅을 딛고 걷는 인간.

너무 강한 힘으로 땅을 박차면 몸이 허공에 떠 버리기에 낼 수 있는 속도에는 한계가 있다.

'내공이라도 쓸 수 있으면 보법을 병행할 텐데.'

아쉬워하는 순간이었다.

[침묵 상태가 해제됩니다!]

[19:59]

쾅!

문득 떠오르는 생각에 바닥을 굴러 사격을 피한 후 잔뜩 쌓여 있는 비품들 사이에 숨어 내공을 움직여 봤다. 지금껏 꼼짝도 않던 내공이 크게 솟구쳐 오르는 게 느껴진다.

'움직인…… 이런.'

잠시 자유를 되찾았던 내공이 돌처럼 굳어 버린다. 아무래도 마나 무효화 효과가 지속적으로 가해지는 모양.

그러나 마냥 실망할 상황도 아니다.

'5초 정도 풀리는군.'

그리고 그거면 충분하다.

"로그인."

아르데니아로 돌아온다. 드랍 된 아이템들을 확인, 분류하고 피해 상황을 확인했다.

사망자가 217명에 부상자는 500명이 넘었다.

최초의 일격에 꽤 많은 힘을 투자한 것인지 엄청난 피

해. 그들 중 상당수가 클래스를 가진 정예병이라는 사실이 특히나 더 뼈아팠다.

“이제는 하늘도 제대로 살피게 해야겠군. 마나 포탑이라면 공중 공격도 가능할 테니.”

나는 대충 상황을 정리한 후 19분 50초를 쉬었다. 최초 1회는 스킬이 충전되어 있기에 망정이지 상태 이상 해제가 마나 무효화를 해제할 수 있다는 사실을 모를 뻔했다.

“로그아웃.”

지구로 돌아온다. 즉시 녹색 곰을 향해 달려들었다.

투웅!

또다시 화기가 불을 뿜는다. 나는 피하지 않았다.

[달빛 방어!]

눈앞의 폭발을 꿰뚫고 전진한다. 그리고 땅을 딛는다.

쿵!

몽환계 특유의 까만 바닥에 오른발이 움푹 들어가는 것을 느끼며 괴력검을 올려친다.

장갑차가 야구공처럼 날아와도 홈런을 칠 수 있는 힘!

[이, 괴물이……!]

그러나 녹색 곰이 펼쳐 낸 배리어가 검 끝을 막아선다.

웅-!

휘두른 검이 배리어에 충돌하자 일점으로 집중된 물리

력이 중화되며 몸이 반대로 튕겨 나간다.

퉁! 퉁! 쿵!

"칫."

내장이 울리는 걸 느끼며 고개를 든다. 다행히 등 뒤에 촬영장 외벽이 있다.

쾅!

촬영장 벽을 박차고 미사일처럼 쏘아진다. 상당하던 거리가 삽시간에 줄어들자 녹색 곰이 다시 한번 온몸에 배리어를 두른다.

[하, 하하하! 멍청한 놈! 아무리 괴물 같은 힘을 가지고 있어도 배리어를 뚫을 수는 없어!]

맞는 말이다. 물리력은 1차원적인 하위 에너지, 아예 임계선을 넘어서는 규모로 몰아치지 않는 한 배리어를 파괴하기는 어렵겠지.

'기급들이 배리어를 안 써서 편했는데 수급은 쓰는 건가. 하긴 어빌리티도 썼으니.'

물론 지금 이 상황에서는 상관없는 일.

나는 녀석이 떠드는 소리를 들으며 그저 시간을 쟀다.

'이, 일, 땡.'

[침묵 상태가 해제됩니다!]

한순간 마나의 제약이 풀리는 것을 느끼며 전력으로 내

공을 이끌었다.

단전에서부터 거칠게 끌어올린 기운이 온몸을 휘돌았다가 그대로 쏟아진다.

찰나결(刹那訣) 제 1식.

일검세(一劍勢).

찌르기가 단박에 배리어를 뚫고 장갑을 관통, 조종석을 꿰뚫는다. 물론 녀석도 마냥 당하고 있지만은 않았다.

퍽! 퍽!

마치 가위처럼 양쪽으로 날아든 영파가 몸에 틀어박힌다.

목을 노리던 공격은 어깨로 막아 오른팔이 반쯤 잘려 나가고 옆구리를 찌른 공격은 내장을 헤집으며 옆구리로 튀어나왔다.

공격과 동시에 이뤄진 반격이기에 나도 어쩔 수 없었다.

로그인, 로그아웃 능력은 대부분의 제약에서 자유로운 능력이지만, 적어도 그것을 소리 내서 말할 시간은 필요하기 때문이다.

나는 입술을 움직이지 않은 채 마치 복화술처럼 속삭였다.

"로그인."

촤악!

"꺅! 성주님!"

"재연아?"

내 몸에서 피가 쏟아지자 병사들을 치료하고 있던 플라워와 헤이즈가 제일 먼저 반응한다. 헤이즈가 내 몸을 부축하고 그 위로 플라워의 힐이 퍼부어진다.

중상이었지만 회복은 금방이다. 플라워의 힐이 강해서라기보다는 전설급 송편의 효과로 인해 트롤 이상으로 강해진 회복력 덕분이다.

"후우……."

이번에는 좀 충분히 휴식한다. 포션도 마시고 육포도 좀 뜯어먹었다. 어느 성도 병력들을 추스른 스틸스톤이 다가와 묻는다.

"괜찮으십니까?"

"아아, 괜찮아. 권능의 반동이라고 생각해."

적당히 지어 한 말인데, 수하들의 분위기가 무거워진다.

'아, 이상한 핑계였나?'

그러나 로그인, 로그아웃을 설명할 수는 없었으니 별수 없는 일.

나는 병사들이 그나마 멀쩡한 주택에 마련해 준 침소로 들어가 드랍템들을 확인했다.

방 한편에 아이템들이 잔뜩 쌓여 있다.

나는 그중에서도 가장 큰 존재감을 자랑하는 [얼음 여

왕의 공훈 상자(전설)]을 잡았다.
번쩍!

[프로즌 필드(영웅). 프로즌 블레이드 제작 레시피(영웅). 혹한의 목걸이(희귀). 명예 코인 4500개를 획득하셨습니다!]

절로 정색이 나온다.
"아니, 전설 상자인데 전설이 안 나와?"
물론 확률이라고 듣긴 했지만 아무리 그래도 거의 솔로 레이드로 잡았는데 영웅이 끝인 게 말이 되나? 50%도 넘는 기여도였을 텐데!
어이가 없었지만 그래도 절망적인 상황은 아니다. 공훈 상자를 제외한 아이템도 있었기 때문이다.

얼음 여왕의 긍지(전설).
방어력 +16
지능 +30
마나 회복 +30
마법 명중 +5
냉기 속성 증폭 +10%
재질 : 스노우 미스릴(천).

"와. 노강인데 옵션 보게……."

유일한 전설 아이템은 마법사용 상의였다. 속성 증폭 때문에 냉기 법사들의 워너비 아이템.

그러나 당연히 계륵이다.

차라리 제작서가 떨어졌다면 그 종류를 고를 수 있었을 텐데 완제로 떨어졌으니 그것도 안 된다.

당연하지만 내가 낄 수는 없다. 힘에 올인한 내가 이제 와서 무슨 천옷이란 말인가?

'그렇다고 스마일한테 주기도 좀.'

고민하다 일단은 보관하기로 마음먹는다. 다음으로 나온 극야(영웅). 아이스 스피어(영웅) 같은 스킬북들도 마찬가지.

그나마 프로즌 아머 제작 레시피(영웅) 같은 제작서들과 혹한의 목걸이(희귀), 냉기 수호의 반지(희귀) 등은 당장 쓸 만해 보인다.

"뭐…… 그래도 스페셜 레이드쯤 되니 보상이 괜찮은 편이네."

던전 뺑뺑이를 돌아 하루에 수십 번 넘게 잡을 수 있는 던전 보스와 달리 레이드 몬스터는 일종의 한정 자원이다.

그것은 필드 보스의 강함과 전혀 별개의 문제다.

'필드 레이드 몬스터를 잡으려면 그것을 원하는 다른 플레이어들과 전쟁을 해야 하니까.'

당연히 보상이 후할 수밖에 없다. 보상이 후하지 않으면 길드들이 왜 막대한 소모를 감수하고 다른 길드와 전쟁을 하겠는가?

부활도 사냥터로 이동하는 텔레포트도 다 다이아를 소모하는데.

결과적인 말이지만.

다른 경쟁자가 없는 아르데니아는……. 어쩌면 리벤지보다 아이템 파밍에 유리한 장소일지도 모른다.

“하지만 그렇다고 보상을 노리고 얼음 여왕을 계속 잡는 건 너무 위험하지.”

이곳의 얼음 여왕은 반복해서 나타나 멍청히 죽어 주는 게임 속 레이드 보스와는 전혀 다르다. 요번 얼음 폭격만 봐도 알 수 있듯 새로운 시도와 작전을 짜는 존재.

게임 캐릭터들처럼 죽었다 살아날 수 없는 병사들을 위험에 몰아 넣을 수는 없다.

‘스페셜 보스의 리젠 시간은 얼마나 되지…….’

가늠해 보지만 확신할 수 없다. 아르데니아의 리젠 시간은 게임 속 시스템과 완전히 달랐기 때문이다.

다만 겨우 여섯 시간이면 리젠되는 일반 몬스터와 달리 꼬박 하루가 지나야 리젠되는 고급 몬스터. 일주일은 지나야 리젠되는 희귀 몬스터를 생각해 보면 전설 몬스터가 리젠되는 데에는 아무리 짧아도 한 달은 넘게 걸릴 것이라고 예상할 수 있다.

'그러면……. 얼음 여왕이 리젠되기 전에 화점을 먹는다.'

사실 이번 전투는 비교적 쉬운 편이었다. 제대로 된 비행 능력이 없는 얼음 여왕이 하늘을 전장으로 삼았기 때문.

카심 덕에, 그리고 중간에 내가 내공을 깨우쳤기에 순식간에 승리한 것이지 그렇지 않았다면 꽤 어려운 싸움을 해야 했으리라.

'내공을 다루면서 꽤 강해졌지만…… 그래도 암살은 불가능하다. 화점의 몬스터를 완전히 밀어 버리고 군대와 함께 던전에 들어가야 해.'

헬 난이도 던전 클리어가 사실상 사라졌으니 공성전이 2번.

아무리 내가 지구와 아르데니아를 오가며 상처와 체력을 회복할 수 있다 하더라도 혼자서 상황을 해결하는 것은 불가능하다. 제대로 된 군세를 이끌고 쳐들어가야겠지.

시간을 확인한다. 이런저런 고민을 하는 사이 꽤 넉넉하게 시간이 지났다.

"뭐, 이 정도면 꽤 쉬었나."

나는 가볍게 몸 상태를 확인했다. 그리고 포션과 붕대 등을 주변에 세팅했다. 바로 옆 건물에 플라워를 비롯한 힐러들도 대기시켰으니 준비는 충분하리라.

"로그아웃."

쿠쿵!

수급 기가스 초록 곰이 쓰러지며 땅이 울린다. 내 쪽을 향해 달려 오던 기가스들이 당황한 듯 멈춰 선다.

[아니, 상처가…… 어째서?]

[어떻게 된 거야! 왜 이능력을 쓸 수 있는 거지?]

[그보다 대체 무슨 능력이야? 말도 안 되는 괴력에 검기라니!]

"아니, 왜 시끄럽게 떠들어. 니네끼리 통신으로 이야기하면 되는데."

투덜거리며 땅을 박차고 달려 나가려는 순간이었다.

쿵!

난데없이 기가스 하나가 쓰러진다.

그게 시작이었다.

"쏴! 놈을 죽…… 여?"

"폐하의 상태가 이상하다! 상태를 확인…… 흣?"

"인질을 잡아! 아무리 녀석…… 이라도……."

일사불란하게 움직이던 테러범들의 움직임이 멎더니 거의 동시에 쓰러져 버렸다.

그들뿐이 아니다.

기이잉…….

쿵!

남은 기가스들이 쓰러진다. 심지어 내가 죽이지 않고 쓰러트려만 놓았던 테러범 녀석들에게서 신음 소리가 사라진다.

나는 주변에 쓰러져 있던 테러범 녀석의 목에 손을 대 보았다.

"……죽었어?"

나는 당황해 자세를 낮추고 감각을 날카롭게 세웠다.

"뭐, 뭐야 왜 다 쓰러졌지?"

"무슨 상황입니까?"

"일단 외부랑 통신 연결해 봐!"

다 죽어 나간 테러범 녀석들과 달리 배우와 스태프들은 멀쩡히 살아 떠들고 있다.

'뭐지? 게임 마스터가 간섭하기라도 했나? 조카를 구하러?'

그러나 직후 나는 그것이 아니라는 사실을 깨달았다.

상체가 박살 났던 브람이 몸을 일으키고 있었기 때문이다.

"천둥벌거숭이가 모든 걸 망쳤군……."

사망, 혹은 그에 준하던 부상이 흔적조차 없다.

주변을 둘러보니 쓰러진 테러범들의 몸이 미라처럼 말라 있는 것이 보인다.

"자기 희생 주문? 그것도 자동 발동으로? 부하를 제물로 쓰다니 정말 가지가지하는군."

"상호 합의하에 이뤄진 일이었다. 그걸 감히 네가 지적해? 다른 사람도 아니고 이 중대한 혁명의 동료들을 죽게 한! 네가!"

쿠르릉!

몽환계가 뒤흔들린다. 브람의 외침에 반응해 새까만 악몽들이 집결하기 시작한다.

나는 그제야 브람의 정체를 알 수 있었다.

"드림워커 학파……."

그러고 보니 촬영을 도와주던 학파의 마법사들이 하나도 보이지 않는다. 아무래도 테러범들에게 정보를 넘기고 자리를 피한 모양이다.

'드림워커 학파장이라면 8클래스. 얼음 여왕보다 세면 셌지 약한 상대가 아닌데?'

그렇다면 망설일 이유가 없다.

쩌엉!

던져진 건설 자재가 브람의 앞에서 가로막힌다. 브람의 얼굴이 험악하게 일그러진다.

"이 짓에 내가 또 당할 줄 알았나!"

쿠구궁!

악몽이 모여든다. 저 뒤쪽에 있던 성재의 비명이 들린다.

그 역시 7클래스 마법사인 만큼 녀석의 주문을 알아본 모양이다.

"8클래스 대마법입니다! 눈을 마주치지 말고 정신을 집중……!"

"늦었다-!"

[달빛 방어!]

[9:59]

익숙한 텍스트가 떠오른다.

그러나 악몽의 파도가 달빛 방어를 관통해 넘어온다.

"괴상한 방어지만 나에게는 안 통해! 나의 노예가 되어라! 악몽제전(惡夢祭典)!"

팟!

피할 틈도 없이 악몽의 파도가 내 몸을 후려친다!

"안 돼!"

"이, 이런!?"

여기저기서 터져 나오는 비명. 나는 생각했다.

'8클래스라.'

8클래스 대마법(大魔法), 당연히 엄청난 위력일 것이다.

나의 노예 어쩌고 하는 걸 보아하니 나를 거대한 악몽 속에 던져 내 자유의지를 박살 내 마음대로 조종하는 방향으로 가는 뭐 그런 식의 마법이겠지.

광역도 아니고 1인 마법이니 어지간한 항마력과 정신력으로도 이겨 낼 수 없으리라.

그러나 늘 말했듯.

무식한 귀신이 부적을 몰라보는 법이다.

빽!

"컥!"

검으로 베었는데 둔탁한 소리가 난다. 브람이 비명을 질렀다.

"무, 무슨!? 말도 안 돼! 틀림없이 적중했어!"

빡!

다시 벤다. 역시나 목은 잘리지 않는다.

"그러나 통하지 않았습니다."

"네놈! 웃기는 소……!"

빽!

"크악! 감, 감히 나에게……!"

빽!

친다. 무형의 기운이 나를 방해했지만 멈추지 않고 계속 검을 내려쳤다.

일단.

녀석의 모가지를 잘라 보면 무슨 결과든 나올 것이다.

"로그인."

아르데니아로 넘어가서.

"로그아웃."

쉬고 나온다.

[침묵 상태가 해제됩니다!]

[19:59]

찰나결(刹那訣) 제 1식.

일검세(一劍勢).

쩌엉!

단 한 번의 검세에 모든 것을 쏟아붇는 필살의 일격에도 브람은 살아남았다. 그러나 그게 완전히 무사하다는 이야기는 아니었다.

"쿨럭! 웨엑!"

피를 토한다.

'질기군.'

나는 다시 검을 들었다.

"잠깐! 잠깐만! 멈추게. 내 이야기를 들어 봐!"

"이야기?"

나는 검을 들어 올렸다.

"싫어."

퍽!

온 내공과 괴물 이상의 근력을 한 점으로 집중해 내려찍자 일검 일검에 보호막이 당장이라도 찢어질 듯 일렁거린다.

브람이 필사적으로 보호막을 유지하며 말한다.

"34지구는 썩어 가고 있어! 계층 상승의 사다리는 모조리 사라지고 오직 어르신을 모시는 가문들만이 모든 걸 틀어쥐고 있지!"

틀린 말은 아니다.

[정지된 낙원]

34지구를 설명하기에 가장 적합한 문장이다. 투명한 사회 시스템과 완벽에 가까운 제도를 갖춘 34지구는 어느 순간 완전히 멈춰 버린 것이다.

너무나도 안정되어 사진처럼 고정된 세계.

딱히 더 발전시킬 과학도 발견도 없다.

당연히, 계층 이동도 거의 일어나지 않는다. 어르신을 모신 가문 출신이 상위층을 장악하다시피하고 있고, 이 주민들이 그 벽을 깨고 올라가기란 여간 어려운 일이 아니기 때문이다.

물론 누군가는 물을 수도 있을 것이다.

정의신과 진실신이 있는데 그런 일이 가능해?

답을 말하자면.

가능하다.

부모가 자신이 벌어 둔 재산을 자식에게 물려주는 것을 과연 [악]이라고 할 수 있을까? 자식에게 영약을 주거나, 자신의 힘을 전수하거나, 어릴 적부터 엘리트 교육을 하는 게 정말로 악한 일인가?

정의신은 그것을 정의롭다고 지지하지 않지만, 그렇다고 악으로 지정하지도 않는다.

그리고 그렇게……. 사회가 굳어진다.

과학은 3문명의 벽에 부딪혀 신기술이 나올 가능성이

거의 없고 사업을 해도 한계가 있으니 개개인이 할 수 있는 것이라고는 영능 수련뿐이다.

물론 영능을 수련해 고위 능력자가 된다는 선택지가 있지만……

솔직히 거의 없는 일이다. 어떤 상황에서도 먹고 사는 데 지장이 없을 정도로 사회 안전망이 발달한 세상에서 뭐가 그리 절박하다고 깨달음을 얻을 수 있을까?

괜히 수많은 어르신이 34지구를 떠나 대우주로 나간 것이 아니다. 극도로 안정된 세상은 누군가에게 유토피아지만 야망이 가진 이들에게는 숨이 턱턱 막히는 모형 정원처럼 느껴질 테니까.

"34지구에 가득한 건 저 한 줌도 안 되는 가문이 아니라 우리 이민자들이야! 하지만 현실은 어떻지? 우리는 명백히 차별받고 있어!"

피를 토하는 듯한 외침에 나는 검을 들어 올렸다.

퍽!

"끅! 네, 놈! 이 배신자! 너도 이민자면서……!"

진심으로 분노하는 녀석의 모습에 어이가 없어 웃었다.

"그렇게 높은 이상이 있으셨으면 선거에 나갔어야지."

"그건 더러운 가문 놈들이……!"

"정의신하고 진실신한테 컷 당했지?"

"……."

한순간 말문이 막힌 브람의 얼굴이 시뻘겋게 물든다.

"사회에 구성원이 되어 녹아들지도 못하고 특별 취급을 안 받으면 자존심이 상하지. 자신을 따르는 자들의 목숨을 우습게 여기고 그렇다고 이 안전하고 풍족한 행성을 떠나지도 못해."

34지구가 마음에 안 들었으면 떠나면 된다. 일반인도 아니고 8클래스 마법사라면 충분히 그럴 수 있다.

그러나 이놈은 그러지도 않았다.

"황제라…… 너 같은 놈이 지배했을 세상은 뻔해."

차갑게 웃으며 검을 들어 올린다.

"거지같은 중세 랜드겠지."

"아, 안 돼! 멈……!"

빠각!

둔탁한 소음. 브람의 몸이 축 늘어진다.

[정의신이 당신을 봅니다.]

떠오르는 메시지에 피식 웃는다. 예전이라면 몰라도 지금은 관심없는 이야기.

그리고 그때였다.

"컷! 완벽해!"

고개를 돌린다. 영화감독 앨런 그레이가 커다란 카메라로 나를 찍고 있다.

“…….”

어이가 없어 헛웃음도 나오지 않는다.

‘컷은 무슨 컷이야, 미친놈아.’

모가지를 커팅해 버릴까 보다.

* * *

촬영이 중단되고 환몽계로 진입해 온 경찰이 촬영장을 통제한다. 브람에게 살해당한 시체들이 곱게 정돈되어 밖으로 이동되고 다수의 마법사와 오오라 능력자들이 엉망으로 박살 난 촬영장을 복구했다.

“괜찮으십니까?”

진실신의 사제와 나란히 앉은 경찰이 부드러운 목소리로 물었다. 반듯하게 다려진 경찰 제복에 달린 경위 계급장은 그녀가 공무원이라는 사실을 증명하는 것.

그러나 나는 그렇게 생각할 수 없었다.

‘노인이잖아.’

노인.

아르데니아에서는 무시당하는 존재다. 중세 랜드의 아이는 인간이 덜된 존재고 노인은 밥이나 축내는 짐 덩어리였으니까.

그러나 34지구에서는 다르다.

술에 잔뜩 취한 취객도 주름살이 가득한 얼굴을 마주하

면 몸가짐을 바르게 한다. 누군가 어르신의 심기를 건드렸다가 혼쭐이 나는 일은 34지구에서 절대 먼 나라의 일이 아니다.

'이 정도의 노인이 경위일 리가 없는데?'

그러나 휴게실로 오는 동안 누구도 그녀에게 인사하지 않았던 사실을 알고 있는 나는 눈치껏 태연한 태도를 취했다.

"네, 뭐. 큰 문제는 없습니다."

"그렇군요. 이번에 큰일을 당하셔서 힘드시겠지만, 촬영장이 습격을 당한 순간부터의 상황을 죽 읊어 주실 수 있겠습니까?"

그녀의 말에 난 숙소에서 쉬다가 기가스 녀석들이 총구를 겨눴던 것으로 이야기를 시작했다.

"세상에! 정신 나간 놈들이로군요."

"정말입니까?"

"맙소사. 대단하군요."

그녀는 꽤 넉살 좋게 내 이야기에 리액션을 취했다. 마치 아이의 무용담을 들어 주는 할머니 같은 태도.

내 감정이 상하지 않는 선에서 이야기를 끌어내는 그녀의 화법은 훈련을 받은 게 아닐까 싶을 정도로 훌륭했다. 덕분에 그 옆에 앉은 진실신의 사제는 별다른 말없이 가만히 앉아 이야기를 듣기만 한다.

'거의 완벽한 수사 기법이지.'

잔류 사념을 읽어 낼 수 있는 마법사들이 사건 장면을 읽어 내고, 진실신의 사제가 관련자의 진술을 정리한다.

완전 범죄란 없다.

34지구의 수사 기법은 단순하지만 그래서 빈틈이란 게 없었다. 아무리 똑똑한 범죄자라도 먼지 한 톨의 단서만 있다면 바로 체포될 수밖에 없는 환경이다.

"모두 진실입니다."

진실신의 사제가 보증하자 이 할머니가 놀랍다는 듯 말한다.

"세상에! 맨몸으로 수급을 포함한 기가스 11대랑 싸워 이긴 게 정말이라니 놀랍군요. 거의 어르신급 무력 아니에요?"

결국 이 말이 나왔다.

어쩔 수 없는 일이다. 이번에 내가 보인 활약은 절대로 일반인이 보일 수 있는 수준이 아니었기 때문이다.

"……아마 그쯤은 될 거로 생각합니다."

"혹 어떤 방식의 능력인지 알 수 있겠습니까? 단순한 이능과는 다른 '권능'의 편린이 보이는데."

날카로운 질문이었다. 내가 보인 믿을 수 없는 수준의 괴력. 모두가 마나를 쓸 수 없던 공간에서도 내공을 사용한 특이성. 치명상을 단숨에 회복하는 불가해한 치유 능력까지.

수많은 고위 능력자들이 있는 34지구에서도 내가 보인

능력들은 극히 이질적인 것이라, 누구라도 그것들이 수련해서 얻을 수 있는 능력이 아니라는 사실을 알 수 있었다. 심지어 나는 별다른 배경도 없는 인간이 아니던가?

그러니 내가 할 수 있는 답변은 정해져 있다.

"답변이 강제되지는 않겠지요?"

"아! 물론입니다. 용의자 같은 것도 아니고 상을 받으실 입장인데 추궁을 해서는 안 되겠지요. 좀 궁금하긴 하지만…… 아, 그리고 마지막으로. 흠, 이것도 불편할 수 있는데."

미안한 기색으로 그녀가 묻는다.

"영상으로 재연 씨의 능력을 봤습니다. 그 정도면 생체력 수련자들이 죽기 전에 테러범들을 제압할 수도 있어 보였는데, 왜 그 후에 움직였는지 알 수 있을까요?"

그녀의 말대로 불편했지만, 당연히 나올 질문이었기에 차분히 답했다.

"괜히 나섰다가 정의신의 징벌을 받고 싶지 않았습니다. 녀석이 학살을 하고 나서야 내가 확실히 움직일 수 있단 사실을 알았지요."

솔직하게 답한다. 진실신의 사제 앞이니 당연한 일.

경찰복을 입은 노인은 이해한다는 듯 고개를 끄덕였다. 심지어 진실신의 사도도 그러하다.

그러나 유일하게 실망한 존재가 있었다.

[정의신의 시선이 거두어집니다.]

'갔군.'

지금 이 말이 아니었다면 정의신은 더 오랫동안 나를 지켜봤을 것이다. 그리고 내가 정의로운 인간이라는 확신이 섰다면 내게 정의 무구. 저스티스 웨폰을 내려 주고 정의신의 사제로 만들었겠지.

'하지만 위험해.'

지금 내가 정의 무구를 얻게 되면 꽤 유의미한 전력 강화가 있겠지만 신의 시선을 달고 다니는 건 너무 위험한 일이다.

만일 그 시선이 아르데니아까지 따라온다면?

문자 그대로 끝장이다. 내가 아르데니아에서 하는 거의 대부분의 일에 태클이 걸리게 될 것이다.

"흠. 좋아요. 이것으로 마무리 짓겠습니다."

자리에서 일어난 그녀가 꾸벅 고개를 숙이며 인사한다. 머리가 새하얗게 센 할머니가 정중히 고개를 숙이니, 보는 내가 다 불편할 지경.

"그럼."

먼저 진실신의 사제가 방을 나선다. 그 뒤를 이어 몸을 일으킨 노인은 따라 나가는 대신 열렸던 문을 닫았다.

그리고 고개를 돌려 묻는다.

"아! 그러고 보니 재연 씨도 김혜영 양에 관한 이야기를 들으셨겠지요."

차분한 목소리에 깨닫는다.

'이게 저 사람의 본론이군.'

그래, 아무리 그래도 그렇지 경찰이 노인이라는 건 말이 안 되는 일. 나는 자세를 바로 하고 대답했다.

"네, 게임 마스터님의 조카라고……."

"그녀의 출신 배경에 대해 들은 모든 말을 잊으시오."

웅!

그것은 경고나 협박이 아니었다. 형형하게 빛나는 두 눈은, 뭔가 강대한 [힘]이 작용하고 있다는 사실을 알려 준다.

'어, 어쩌지?'

물론 무식한 귀신은.

오늘도 부적을 알아보지 못했다.

"대답은?"

"아, 네. 알겠습니다."

"……반응이 왜 이러지? 저항하는 건가? 역시 뭔가 대단한 능력을 타고난 거 같은데."

그녀는 고개를 갸웃거리며 내 눈동자를 바라보았다.

나는 필사적으로 멍한 눈빛을 연기했다. 그 눈을 가만히 들여다보던 그녀는 이내 고개를 끄덕였다.

"뭐, 된 거 같군. 아마 이 말은 기억 못하겠지만."

그녀가 문을 나가기 전 다시 고개를 숙였다. 지금까지

와는 전혀 다른 말투로 그녀가 말한다.

"아가씨를 지켜 줘서 고맙네."

딸깍.

노인이 나간 뒤 나는 잠시 가만히 있었다. 다행히 더 이상 나를 찾아오는 사람은 없었다.

'그렇군. 저 사람이 '김희정'이야.'

예전 스칼렛이 자신을 소개할 때 김희정 어르신의 증손녀라고 자신을 소개한 적이 있다.

당연히 거짓말이다.

그녀가 정말로 게임 마스터의 조카라면 증조할머니가 살아 있을 리가 없다. 그리고 그 집안이 모셔야 할 어르신이 있다면 그는 바로 게임마스터 그 자체겠지.

즉, 김희정은.

'아가씨라고 했어. 궁녀 출신이거나 집사 가문이겠지. 앞으로는 몸가짐을 조심해야겠군.'

나는 강해졌다. 아무리 상대가 정신계 주문을 쓰는 실수를 했다 해도 8클래스 마법사를 잡았다는 건 내가 대우주에서도 통할 전투력을 가지고 있다는 것!

그러나 그렇다 하더라도 34지구에서는 조심해야 한다.

이곳은 초월자라도 죄를 지으면 경찰이 와서 잡아 가는 마경(魔境)이니까.

"아! 재연 씨!"

방을 나서자 주변을 서성이고 있던 앨런이 후다닥 다가

온다.

절로 인상이 찡그려진다.

"싫어요."

"아니, 서운하게 그게 무슨 말이야? 그보다 아직 아무 말도 안 했는데!"

"테러범 놈들하고 싸웠던 영상물 쓰지 마세요."

단호하고 정확한 의사 표현에 앨런의 눈초리가 파르르 떨렸지만, 그는 이내 그것을 떨쳐 내고 넉살 좋게 웃었다.

"자자. 그러지 말고 내 이야기 좀 들어 보게. 내가 좋은 차를 가지고 있는데. 이게 만령차라고 끝내주는 영약이거든?"

앨런이 내 뒤를 졸졸 따라오며 속닥거렸다.

그 속닥거림은 듣는 내가 다 후끈해질 정도의 열기로 가득하다.

"내가! 자네를 스타로 만들어 줄 수 있네. 자네는 단순한 엑스트라도, 조연도 아닌 주연 중 하나가 될 거야! 내 영화 인생을 걸고 말하는데 이번 작품은 무조건 대박이야!"

"싫어요."

"내 인생 역작이 될지도 모른다고! 자네 이름이 온 우주에 퍼져 나갈 수도 있다는 말이네."

"관심 없어요."

깔끔한 철벽에 중년의 사내가 내 팔을 붙잡고 징징거린다.

"아, 제발 이러지 말게. 정말 일생일대의 기회라니까? 배우라면 이런 기회가……."

"저 배우 아닙니다. 스칼렛의 부탁으로 참여했을 뿐이지."

"아, 그 비범한 능력으로 왜 스턴트를 하나 했더니 그런 이유가 있었군. 혜영 양이 복덩이를 물어 왔네!"

나는 슬쩍 앨런을 보았다. 그도 브람에게서 스칼렛의 정체에 대해 들은 사람들 중의 하나.

그러나 지금 보니 그 사실을 전혀 모르는 듯했다.

'기억이 지워졌군. 명색이 7클래스 고위 마법사인데…….'

섬뜩한 일이있지만 고개를 흔들어 넘어간다.

현인신(現人神)인 게임 마스터와 관련된 일이니 어쩔 수 없는 일이리라.

"그, 그럼 페이라도 많이 주겠네. 2억! 2억 어떤가? 슈퍼스타의 명예에 비하면 아무것도 아니지만……."

"……."

멈칫하고 말았다. 그리고 앨런이 그걸 눈치챘다.

눈치 하나는 귀신같은 인간이다.

"어? 어어? 지금 자네 흔들린 것 맞지?"

"……안 됩니다. 제 개인 정보가 온 세상에 퍼지는 것이지 않습니까."

"2억 5천."

"사람들이 알아보면 여러모로 불편할 테고……."

"3억!"

"이민자들이 원한을 품을지도 모르고요."

"으, 이 이상은 예산이…… 아! 그래, 그 영상을 다큐멘터리에도 쓸 수 있게 해 준다면 4억까지도 당겨 보겠네. 그리고 안전에 대해서는 걱정할 필요 없어! 이미 경찰청과 정의신전에서 움직이고 있다네."

"흠……."

"내가, 내가 사비까지 보태겠네. 5억! 이젠 진짜 힘들어……."

사정하는 눈빛. 나는 결심했다.

"안 하겠습니다."

"악! 자네 정말 왜 그러나! 나 죽는 꼴 보려고 그래? 아! 제발! 제발 쓰게 해 달라고! 쓰게 해 줘!!"

앨런이 바닥에 주저앉더니 말 그대로 땡깡을 부리기 시작한다.

나는 어이가 없어서 그 모습을 바라보았다. 이게 정말 7클래스 고위 마법사란 말인가?

"그럼."

내가 아랑곳하지 않고 가려고 하자 앨런이 언제 자빠졌냐는 듯 벌떡 일어나 설득을 이어 나간다.

"내가 계약서에 러닝 개런티도 추가해 줄게! 지금 조건이 월드 클래스 배우보다도 높아! 이 작품은 무조건 대박이고! 자네는 적어도 10억 이상을 벌 수 있을 걸세!"

"……."

10억.

클래스 카드를 10만 장을 살 수 있는 돈이다. 전설 장비로 온몸을 무장할 수도 전설 스킬을 다수 배울 수도 있다. 심지어 화점을 먹으면, 거기에 신화 등급의 성을 세울 수 있겠지.

'아, 안 되는데…….'

망설이는 나를 보고 앨런이 말한다.

"자자. 내 말 좀 들어 보게. 이 영화의 여주인공인 혜영 양이 고정 출연료 1억에 손익 분기점 초과 시 추가 관객 1인당 100원이야. 톱스타인 성재 씨도 고정 출연료 2억에 손익 분기점 초과 관객 1인당 200원이지. 근데 자네는 어떤가? 고정 출연료 5억에 초과 관객 1인당 100원으로 해 주겠네! 진짜 미친 조건이야! 투자사에서 알면 내 목을 조르려고 할걸?"

절박한 말에 절로 질문이 나올 수밖에 없다.

"……그런데 왜 그렇게까지 하려 하십니까?"

"자네의 전투 장면에 그만한 가치가 있으니까!"

나를 바라보는 앨런의 두 눈이 형형하게 빛나고 있다. 언뜻 광기까지 보이는 눈빛.

'정말 영화에 미친 사람이구나…….'

그는 7클래스 마법사다. 대우주 어느 문명에 가도 대접

받을 수 있는 능력자.

사실 그가 다른 문명에서 살았다면 34지구에서보다 더욱 부유하고 인정받는 삶을 살았을지도 모른다.

적어도 지금처럼 장면 하나 때문에 자기보다 어린 사람에게 징징거릴 필요는 없었겠지.

"하……."

나는 손을 들었다. 그리고 그대로 앨런의 손을 잡았다.

절로 한숨이 나온다.

"이게 잘하는 짓인지……."

"절대 후회하지 않을 걸세!"

터져 나오는 환호성을 들으며 예감한다.

여러 가지 의미에서.

내 삶에 격변이 일어날 것이라고.

촬영이 재개되었다.

테러로 사람이 죽었다는 건 별다른 문제가 되지 않았다. 이미 현장 조사가 끝났고 영화사 측의 잘못이 없다는 사실이 증명되었기 때문이다.

피해자들에게 보상과 함께 사의를 표하는 과정이 있지만 그건 영화사보다는 국가에서 책임질 문제다.

'그리고 정의신과 진실신의 엄격한 기준을 통과한 공무원들은 절대 자신의 책임을 전가하는 존재가 아니지.'

공무원 겸직 1순위인 정의신의 사제들은 오히려 신나

서 날뛸 가능성도 있다. 이번 사건은 틀림없는 고난이지만, 동시에 그들의 티어(Tier)를 올릴 기회이기도 하기 때문.

덕분에 앨런은 외부적인 문제에 신경 쓰지 않고 촬영에 집중할 수 있었다.

"재연 씨! 감정을 더 담아야지! 해적들의 명령을 듣고 있지만 34지구 출신의 동포들을 공격하고 싶지는 않잖아? 안 그래?"

앨런은 대본을 완전히 뜯어고쳤다.

스턴트 연기와 엑스트라 몇을 연기해야 했던 예전과 달리 내 배역, 도검(刀劍)이 추가되었다. 그저 그런 조연이 아니라 메인 스토리에 어마어마하게 영향을 주는, 메인 빌런 겸 아군으로 전향하는 캐릭터이다.

주인공들이 온 힘을 다해도 이기기 힘든 강적.

차갑고 싸늘해 보이지만 아픈 과거를 가지고 있는 악역…….

"아니, 내가 왜 연기를……."

"돈 받았으면 일해야지!"

맞는 말이긴 하다. 사람들은 모르지만 나는 여주인공보다도, 심지어 톱스타인 성재보다도 좋은 조건으로 계약을 맺었다.

'물론 러닝 개런티 비율은 딸리는 편이야. 앨런 감독의 계약은 고정 출연료보다 런닝 개런티가 훨씬 강한 편

이라는 걸 생각해 볼 때 엄밀히 말하면 성재 씨보다 좋은 조건이라 하기는 어렵지.'

그러나 러닝 개런티가 제대로 된 효과를 발휘하는 건 영화가 손익 분기점을 넘어 대박을 터트렸을 경우다. 하지만 아직 찍고 있는 영화의 결과가 대박이라고 누가 장담한단 말인가?

내가 필모그래피 한 줄 없는 생초짜라는 걸 생각하면 이건 그야말로 미친 대우다. 이미 통장에 2억 5천이 꽂힌 상황이니 더욱 그렇다.

앨런의 말대로 그만큼 받았으면 일을 해야 하는 게 도리긴 하다.

"재연 씨! 이거 다음 대본!"

앨런이 펜으로 급하게 써 갈긴 대본을 던져 준다.

"……무슨 대본을 영화 찍으면서 써요."

"빨리 외우기나 해. 다시 말하지만, 도검이라는 캐릭터는 꽤 입체적이야. 비범한 재능을 타고났고 야망도 있지만, 환경의 문제로 꺾여 버렸지. 그 결과 냉소적인 태도가 기본 베이스가 되었지만, 한편으론 가슴속에 뜨거운 불덩이가 있는 느낌. 그 느낌 알지?"

"모르는데요."

"에이, 막상 시키면 잘하던데 엄살은. 자자, 다음 씬 갑니다."

촬영은 정신없이 진행되었다. 새로 온 드림워커 학파의

마법사들이 몽환의 기운을 컨트롤 해 세트장을 만들면 그 앞에서 연기한다.

"헥! 헥! 아이고 감독님! 명색에 천재 마법사인데 왜 마법보다 몸을 더 많이 쓰는 것 같죠?"

"다 필요해서 따는 장면이니까 하라는 대로 해!"

"폭군이 따로 없구만! 헥헥!"

성재가 자신을 쫓는 정체불명을 괴물, 언네임드와의 추격 씬을 촬영한 뒤 내 옆으로 와 주저앉는다. 꽤 힘든 촬영이었던 것인지 호흡이 거칠다.

"후우…… 평소보다도 사람 쓰는 게 더 거치네. 재연 씨는 어때요? 보니까 엄청나게 잘하시던데."

친근하게 말을 거는 절세미남의 모습을 잠시 바라보다 어깨를 으쓱인다.

"잘하기는요. 임기응변으로 때우는 수준이죠."

"에이. 떨지도 않고 실수도 안 하고 척척이신데요. 저 신인일 때랑은 비교도 못할 수준이에요. 게다가 배역 자체가 워낙 잘 맞기도 하고요."

거기까지 말했을 때 스태프 중 하나가 음료가 담긴 컵을 들고 와 내민다.

"저, 여기……."

"아, 고마워요."

받아 들고 싱긋 웃어 주자 스태프가 새빨개진 얼굴로 도망간다.

고개를 돌려보니, 여기저기서 이곳을 훔쳐보는 이가 한 둘이 아니다.

'이거…… 생각보다 더 피곤해 보이네.'

그런 생각을 하는 사이 어느 정도 호흡을 고른 성재가 말한다.

"후아! 늦었지만 테러 사건 때 구해 주셔서 감사해요. 뭔가 심상치 않은 분위기를 가지고 계신다고 생각했지만, 아무리 그래도 그 정도일 줄이야. 혹시 특수 부대나 우주 용병 뭐 그런 거예요?"

"아뇨. 군인이긴 했지만 일반병이었죠."

내 말에 성재가 머리를 긁적거린다.

"그런 것치고는 보통이 아니시던데…… 뭐, 어쨌든 재연 씨가 여기 있어서 천만다행이에요. 감독님 전작이 잘 안 돼서 불안불안한 상황이었거든요. 테러범들을 막지 못해서 촬영이 무기한 미뤄지기라도 했다면 여러모로 큰일이었을 거예요."

"큰일이라면 어떤?"

"최악의 상황에는 감독님 영화 그만두고 인챈트 노가다로 5년은 일해야 했을걸요? 그마저도 7클래스 마법사니 택할 수 있는 선택지지만요."

큭큭 웃는 성재의 말에 묻는다.

"그러고 보니 7클래스 마법사쯤 되면 인챈트 총괄을 하는 쪽이 더 많이 벌리겠군요."

"그렇긴 하죠. 지금처럼 영화가 잘되나 안 되나 전전긍긍할 필요가 없기도 할 테고…… 하지만 덜 벌어도 하고 싶은 걸 하는 모습이 멋지지 않아요? 영화감독도 최고의 자리에 오르면 엄청나게 버는 편이고요."

그러고는 '아! 그렇다고 인챈터분들을 비하하는 건 아니에요!'라고 덧붙인다.

아무래도 연예인이다 보니 말을 조심하는 모양이다.

"그러고 보니 그건 성재 씨도 가능한 선택지겠네요."

"아, 인챈트요? 부끄럽지만 저는 그런 재주가 없어요. 감독님은 지능을 기반으로 하는 정통 마법사. 흔히 말하는 위저드(wizard)고 저는 매력을 기반으로 하는 소서러(sorcerer)거든요. 심지어 저는 제 경지보다 높은 주문을 사역한 덕에 격이 올라간 케이스라 주문 하나 빼고는 6클래스나 다를 바가 없어요. 말이 좋아 같은 7클래스지 감독님과 비교할 정도는 아니죠. 저 아저씨가 저래 보여도 정말 대단한 분이거든요."

그의 말에 현장을 지휘하고 있는 앨런을 바라본다. 고함을 지르며 스태프들을 닦달하고 있는 중년 사내의 모습.

그러다 보니 문득 의문이 떠오른다.

"그러고 보니 그 마나 무효화 공간은 대체 뭐였을까요? 저 정도의 고위 마법사가 아무것도 못할 정도의 무효화 공간이라니."

"사실 저도 의문이에요. 말 그대로 듣도 보도 못한 성능이잖아요? 경찰 누나가 말해 줬는데 경찰에서도 결국 그 수법이 뭔지 찾아내지 못했다고 하고……."

진지한 얼굴로 중얼거리는 성재는 이내 고개를 흔들더니 밝은 목소리로 말했다.

"뭐! 경찰들이 잘해 주겠죠! 그보다 재연 씨! 길드 들어가셨나요?"

"길드요? 아 물론……."

"몇 레벨이에요?"

"6레벨입니다. 출석용이요."

지금껏 제대로 된 길드에 들지 않았다. 온종일 일하는 나로서는 길드 콘텐츠를 즐기기 힘들다고 판단했기 때문이다.

아무리 리벤지의 콘텐츠 대부분이 자동 플레이라지만 사람을 상대하는 콘텐츠까지 자동일 수는 없다.

'아니 그 정도가 아니지.'

자동 사냥으로 스펙을 맞추고, 그 스펙으로 전쟁을 벌이는 것이 리벤지의 진짜 콘텐츠.

이젠 꽤 오랜 시간 플레이했고 과금액도 일정 선을 넘어섰지만, 그럼에도 엄밀한 기준에서 나는 리벤지를 플레이한다고 할 수 없다. 아르데니아로 장비를 보내기 위한 파밍 공장으로 활용하고 있을 뿐이지.

"아! 그러면 문제없겠네요! 저희 길드 들어오실래요?"

"성재 님 길드요?"

"네! 아레스 길드예요! 길드 랭킹 5위! 길드 레벨 18레벨입니다!"

"……."

그의 말에 입이 절로 벌어진다.

'18레벨 길드라니.'

20레벨이 만렙인 길드 레벨은 15가 되면 길드 상점의 모든 잠금이 해제된다. 길드 레이드도 전설급까지 열리니 사실상 길드가 할 수 있는 모든 행위가 해금된다는 것.

그 이후로는 길드 레벨 업이 거의 안 되는 수준인 데다 길드 버프 말고는 혜택도 딱히 없어 올리지 않는다고 들었는데 거기서 3단계나 더 올렸단 말인가?

"제가 들어가기엔 너무 높은 등급의 길드인 것 같은데요."

"재연 씨는 신화 클래스 보유자잖아요? 게다가 유저 간담회에 오실 정도면 과금액도 만만치 않을 텐데. 저희 길드 내에서도 간담회에 초대될 만한 수준은 8명밖에 안 돼요."

그의 말에 나는 쓰게 웃었다.

"워낙 유명한 이야기니 아시겠지만 신화 클래스는 운이 좋았던 겁니다. 그리고…… 제 캐릭터는 그렇게 강하지 않아요."

"네? 하지만 재연 씨. 그러니까 킬리언스도 VIP 등급 아니에요? 그 정도면 억대 과금러일 텐데요."

그의 말에 잠시 고민했지만 결국 말한다. 이 사실을 제대로 해명하지 않으면 점점 오해만 쌓일 것이기 때문이다.

"저는 과금해 얻은 아이템을 캐릭터한테 주지 않아요."

"그게 무슨 말이에요?"

"과금한 모든 아이템을 삭제한다는 말입니다."

"……?"

성재는 전혀 이해하지 못했다. 나는 거의 10분 동안 상황을 설명해야 했다.

마침내 내 말을 이해한 성재가 입을 떡 벌리고 말한다.

"차크라 수련의 후유증이 그런 식으로 온다는 건 난생처음 들어요. 와아…… 과금한 아이템을 다 삭제한다니……."

"과금뿐이 아니라 파밍한 아이템도 삭제하는 편입니다."

내 말에 성재는 한참이나 고민에 빠졌다.

그리고 어느 정도 생각이 정리된 듯 말했다.

"그러면 제 생명을 구해 주신 대가로 길드에 들어오는 걸로 하죠. 저는 길드 임원이라서 부계정도 하나 가입시킬 권한이 있으니 그 권한을 사용하면 돼요. 게다가 아무리 과금을 안 하셔도 신화 등급 클래스를 가지고 계시니 최소한의 선은 넘으실 거예요."

"네? 하지만."

“파밍한 아이템도 삭제하신다면서요? 그럴 거면 길드에 들어오는 게 훨씬 이득이에요. 파밍 수준이 달라질 테니까. 요번에 저희 성을 신화 등급으로 업그레이드하면서 혜택이 어마어마해졌거든요. 그리고…….”

거기까지 말했을 때였다.

고오오오!

몽환계의 지평선 너머에서 거대한 연기가 몸을 일으킨다. 촬영을 진행 중이던 앨런이 반색했다.

“최상급 악몽이다! 좋아. 마침 언네임드하고 전투 씬이 더 필요했는데 이걸로 갈음하자! 성재 씨! 주문 준비해! 장미 궁전 사용할 수 있지?”

“아니 악몽 나올 때마다 전투 씬으로 쓸 거면 경호원은 무슨 필요…….”

“빨리!”

“하이고…… 네네. 갑니다!”

그렇게 대답한 성재는 자리에서 일어나 나를 돌아보았다.

“길드에 가입 신청하세요! 제가 처리할게요!”

성재가 떠나고 곧 멀리서 경천동지할 전투가 벌어진다. 수십 미터는 될 법한 악몽의 위압감은 보통이 아니었지만 7클래스 주문을 사용 가능한 성재가 십수 명의 마법사의 보조를 받자 압도적임 힘으로 악몽을 몰아붙인다.

‘……장난 아니군.’

농담이 아니라 이대로 싸운다면 나라도 이기기 힘들 것 같다. 7클래스가 이 정도라면 8클래스는 어느 정도였을까?

브람 녀석이 마지막에 정신계 주문을 쓴 것은 그야말로 천만다행의 일이다.

'여러모로 운이 좋았군.'

전투가 있을 거라고는 예상했지만 34지구에도 50명이 안 되는 8클래스 마법사가 튀어나올 줄은 몰랐다.

'만약을 위해서라도 화점을 먹고 신화 클래스를 얻어놔야겠다.'

그렇게 생각하며 고개를 돌린다.

"체다."

내 부름에 갈색의 뚱냥이가 뒤뚱뒤뚱 테이블 위로 올라선다.

녀석의 털이 차르륵 정렬되자 한참 자동 사냥 중인 캐릭터. 킬리언스의 모습이 보인다. 나는 인벤토리를 확인했다.

"오! 희귀 장비 2개 겟. 고레벨 사냥터가 좋긴 하군."

인벤토리를 정리하고 소모품을 채워 놓는다. 이제는 제법 자연스러운 과정.

"그리고 아레스 길드라고 했던가. 나참, 단번에 이런 상위 길드에 들어가게 될 줄이야."

나는 길드에 가입 신청을 넣고 습관적으로 주식을 확인한다.

"언젠간 사야 하니 그만 올라야 하는데……."

그리고 확인한 결과는 이러하다.

네메시스 - 11,927,000원(-3,261,000원)↓

"……어?"

순간 상황을 이해하지 못하고 주식 프로그램에 뜬 숫자만 바라본다.

"아니…… 이렇게 뜬금없이?"

네메시스의 주가가.

폭락하고 있었다.

* * *

아직 아르데니아로 넘어가기 전, 한국 출신답게 온갖 게임을 하던 시절.

그 많은 게임을 하며 살았음에도 나는 리벤지를 해 보지 않았다.

'지금 생각 해 보면 아쉽네. 만약 해 봤으면 아르데니아에서 일찌감치 기시감을 느꼈을 텐데.'

내가 리벤지를 플레이하지 않은 것은 그것이 아무도 모르는 무명 게임이라서가 아니다. 정확히 말하자면, 그것이 어떤 게임인지 너무나 유명해 피했다고 할 수 있겠지.

리벤지에 대한 내 인식은 이러했다.

'쓰레기 같은 과금 게임.'

나 혼자의 판단이 아니라 실제로 꽤 많은 사람이 리벤지를 그렇게 평가했다.

무지막지한 수준의 과금이 뒷받침되지 않으면 게임으로서 작동하지 않는 게임.

'뭐, 돈이 없어도 어느 정도 즐길 수는 있지.'

그래. 불가능한 건 아니다. 몬스터를 사냥하고 장비를 맞추고 소소하게 메인 퀘스트를 밀 수도 있겠지. 실제로 리벤지의 그래픽과 게임 편의성은 모든 게임을 통틀어 탑티어에 속하니 무과금으로 하자면 할 수도 있을 것이다.

그러나 리벤지는 대규모 전쟁 게임.

전쟁이 벌어지고 어쩔 수 없이 거기에 참여하게 되면, 혹은 필드에서 난데없이 벌어진 전쟁에 휩쓸리게 되면, 그제야 플레이어는 뭔가 잘못되었다는 사실을 깨닫게 된다.

어떤 스킬 한 방에, 휘둘러진 칼질 한 번에 추풍낙엽처럼 쓸려나가는 것이.

내 적도. 몬스터도 아니고.

바로 나라는 것을.

'돈 없으면 놀려고 들어간 게임에서 밑바닥에 깔린 존재가 되어야 하지.'

결국 리벤지는 돈 많은 자들. 그러니까 헤비 과금러들의 놀이터가 될 수밖에 없는 구조로 만들어져 있다. 게임을 하루에 20시간씩 몇 년을 해도 과금이 없으면 전설 장비나 클래스를 갖추기 어려운 그런 게임.

어떻게 보면 현실적이라고 할 수도 있지만…….

'보통 게임에서 그런 현실성을 바라지는 않지.'

리벤지는 매출 1위에 빛나는 게임이지만, 동시에 그 매출 규모에 비교해 동접자 수가 형편없다는 어둠을 가지고 있다. 가장 많은 돈을 벌어들이는 게임임에도 그 누구도 리벤지를 [갓겜]이라며 칭송하지 않았다.

아마도 그래서였을 것이다.

[돈데크만 소프트, 리전과 기술 협약]

[일성 리전과 기술 협약]

[스카이 소프트, 리전과 새로운 가상 시대를 열어……]

세컨드 라이프 프로젝트로 인해 리벤지에 모였던 어마어마한 관심은 대체재가 생기자 즉시 무너져 내렸다. 완벽한 가상 현실이 가능한 게임이 리벤지 하나라면 어쩔 수 없지만, 그렇지 않다면 리벤지를 선택할 이유가 없기 때문이다.

"하긴 네메시스 주식이 정상이 아니긴 했어. 거품이 많이 낀 상태였지."

저평가되고 있는 중소기업도 아니고 네메시스는 원래도 충분히 대기업이라고 할 수 있는 주가를 자랑하던 곳이다. 그게 그 짧은 시간 만에 10배 넘게 올랐던 게 비정상이었지.

"그렇다면…… 지금이 기회로군."

나는 돈을 벌기 위해 주식을 하는 게 아니니 주식이 떨어진다고 가슴 아플 일도 없다. 당장 돈이 급해서 주식들을 팔았지만, 결국은 사서 가지고 있어야 할 상황이 아니던가?

"그래. 이왕 떨어질 거 더 떨어져라."

설마 네메시스가 상장 폐지를 하지는 않겠지.

네메시스 - 8,875,000원(-3,052,000원)↓

나는 틈틈이 주식을 확인했다. 그러면서 연기도 열심히 한다고 생각했는데 앨런의 생각은 달랐던 모양이다.

"재연 씨! 집중! 집중! 여태 잘하더니 왜 갑자기 마음이 콩밭에 가 있어? 뭔 주식이라도 해?"

와. 이 아저씨 귀신이네.

"죄송합니다."

나는 잡념을 떨쳐 내고 연기에 집중하기로 했다.

'그래. 내가 일일이 신경 쓰지 말자.'

나는 주식 앱에서 주식이 일정 이하로 떨어지면 일괄

매수하도록 세팅해 놓고 신경 쓰지 않기로 했다.

그 기준점은 네메시스 소프트가 세컨드 라이프 프로젝트를 발표하기 전 가격인 150만 원이었다.

“자자자. 재연 씨는 멸망한 제국의 황태자야. 그래서 고유 권능을 가지고 있다는 설정이지.”

그의 말에 어이를 상실한다. 황태자라고 고유 권능이 있다니? 대우주급 세력인 레온하르트 제국에서나 있을 법한 일 아닌가?

“아니, 하위 문명의 원주민 따위가 무슨 고유 권능이에요? 그런 거 없어요.”

“음? 재연 씨 그쪽에 대해 잘 알아요?”

성재의 말에 배우와 스태프들의 시선이 모인다. 순간 아차 하는 생각이 들었지만 이내 고개를 흔들었다.

‘어차피 영화에 출연하고 나면 내 신상 따위는 공공재다.’

하긴, 무슨 잘못을 한 것도 아닌데 숨기는 것도 웃기는 일이다.

“굳이 말하자면…… 저도 왕족 출신이긴 합니다.”

“왕족. 오오…….”

“멋지다…….”

“멋지긴 뭘 멋져요. 저는 34지구에서 태어나서 왕국이고 뭐고 본 적도 없거든요?”

34지구가 종말 프로젝트와 만나 종말의 위기를 마주한

것처럼 내가 살던 문명 역시 종말의 위기를 마주했다.

우주 괴수. 그로테스크(Grotesque).

기계 군단 리전이 중립 세력이 되고 우주 해적 바사라가 반 토막이 난 지금, 연합의 유일한 주적이라 불리는 녀석들은 나머지 두 주적과 전혀 다른 상황이 되었다.

대전쟁을 거치며 예전보다 훨씬 더 강성해진 것이다.

그로테스크의 근본적인 힘은 감염(感染).

대체 어떤 존재를 감염시킨 것인지 무지막지한 권능을 소유하게 된 녀석들은 이미 제국 이상의 세력을 과시하고 있다.

'차지하고 있는 영역이 은하 수준을 넘어갈 정도니 사실 제국 이상이지.'

종말의 위기를 이겨 낸 34지구는 이제 대우주에서도 알아주는 최강의 단일 세력으로 발돋움했다.

그러나 아버지와 할아버지의 고향 98지구는 달랐다.

그들에게는 게임 마스터. 관대하 같은 영웅이 없었고.

그냥 멸망했다.

"오. 뭐. 네 출신이 그렇다면 더 좋네. 몰입이 쉽겠어."

"왕족이래."

"그래서 그런 힘을……."

깊어지는 오해에 이마를 짚는다.

'아냐, 이것들아. 개뿔 없다고.'

어림없는 환상이다. 정말 숨겨진 힘이나 권능, 신비로

운 힘 따위가 있다면 왜 이민자들이 34지구에서 아무 힘도 못 쓰겠는가?

마치 이능이 없었던 근대에 서양인들이 원주민의 주술이나 동양인의 무술 등을 신비로워했던 것과 같다.

그것들이 정말 대단하다면 침략자들에게 땅을 빼앗기지도, 전쟁에서 지지도 않았으리란 사실을 외면하는 것이다.

일종의 로망이기 때문일까.

결국 나는 앨런이 바라는 대로의 캐릭터를 연기했다.

처음 등장했을 때는 강한 힘을 가지고 범죄나 저지르는 우주 해적.

운명의 장난으로 주인공 일행과 얽혔을 때에는 어쩐 일인지 그들을 구해 준다.

차갑고 싸늘해 보이지만 사실 아픈 과거를 가지고 있는 악역…….

'그리고 그 정체는 멸망한 제국의 황태자란 말이지. 하.'

씬을 마친 나는 몰려오는 현타에 한숨을 쉬고 말았다.

'앨런 이 아저씨 미친 거 아냐? 이게 로맨스 영화도 아닌데 왜 삼각관계를 만들어? 분명 성재 씨가 주인공이었잖아?'

기가 막혔지만 감독이 그러겠다는데 배우가 무슨 말을 하겠는가?

나는 자리에 앉아 다음 씬을 모니터링했다.

[중첩 술식을 박으면 돼. 아타리족은 손가락이 여섯 개니까. 어디 보자, 알. 로이아. 파르티잔……. 그렇군. 페르 성운에 진입하는 파르티잔 소속 우주선을 조사하면. 아, 조사할 필요 없어. 요 근래 오는 우주선은 여객선뿐인데 여객선은 기본 삼 층이거든. 이건 주변을 순찰하는 전투선이라 보는 게 맞겠지.]

[도련님. 당신은…….]

[천재라는 말은 지긋지긋하니 안 해도 돼.]

[……재수 없어.]

성재와 스칼렛이 연기하는 모습을 지켜본다. 성재야 말이 필요 없는 베테랑 배우였고 스칼렛 역시 톡톡 튀는 역할을 잘 소화하고 있다.

지켜보는 사이 카메라가 스칼렛의 단독샷을 잡는다.

“확인했어요. 이 그림자는.”

그때였다.

베에…….

스칼렛의 맞은편에 있는 성재가 마치 기습처럼 우스꽝스러운 표정을 지었다. 자신은 카메라에 비치지 않는 위치다.

“제가 가서 확인하고 오겠습니다.”

방해 공작에도 흔들림 없이 대사를 마친 스칼렛이 '컷!' 소리와 함께 성재를 노려보았다.

정색 중의 정색.

개정색이다.

"선배……. 제 연기 인생 망치려고 그러세요?"

"헉! 아냐. 너무 긴장하는 거 같아서 풀어 줄 겸 장난을……."

"아하. 지금 이 배역이 장난 같다 이거죠? 그래요. 성재 선배한테는 이 정도 배역은 하찮은 장난이겠죠. 저한테는 인생에 다시없을 기회인데."

"미안미안…… 다신 안 그럴게!"

결국 성재가 싹싹 빌고 나서야 스칼렛이 표정을 풀었다.

"수고하셨습니다!"

"오늘도 수고하셨습니다!"

하루 촬영을 마치고 식사를 한다. 나와 함께 밥을 먹던 성재가 말했다.

"저 혼나는 거 보셨죠?"

성재의 말에 웃었다.

"눈이 이글이글하더군요."

"어휴. 분위기나 풀려고 했는데 야망에 차 있는 분에게는 씨알도 안 먹히네요."

"보통은 안 그런가요?"

"그렇죠. 봐 봐요."

성재가 그렇게 말하며 주변을 가리켰다.

그러고 보니 서로 마주 앉은 나와 성재 주변에 스태프, 배우, 작가들로 가득하다.

당연하지만 다 여자들이다.

"뭘 봅니까?"

"다 웃고 있잖아요."

그의 말을 듣고 보니 정말 다 웃고 있다. 성재가 그중 한 명에게 물었다.

"영미 씨. 영미 씨는 영미 씨가 지금 왜 웃는지 알아요?"

"네? 네? 저요? 제가 왜 웃죠?"

깜짝 놀라 의문을 표하는 스태프의 질문에 성재가 슥 고개를 내밀며 속삭인다.

"내가 옆에 있으니까."

"꺄악---♥"

"어머!"

"꺅! 너무 좋아……!"

식당 여기저기에서 박장대소가 터져 나온다. 웃음을 터트리는 모습이 마치 천재 개그맨의 개그를 들은 듯했다.

"……."

물론 나는 전혀 웃지 않았다. 대신 정색 중의 정색.

개정색을 해 주었다.

"죄송합니다……."

"자제 좀."

"넹."

끄덕이는 그의 모습에 헛웃음 짓는다. 이러니저러니 해도 참 밝은 사람이다. 다들 정신없이 바쁜 촬영장에서도 다들 이 녀석만 보면 웃는 이유를 알 것 같다.

한참 시시덕거리던 성재가 말한다.

"맞아! 길드 가입 처리해 드렸어요. 길드 마스터는 저희 기획사 대표님이고요. 길드원들 역시 대체로 업계 사람이에요."

"말하자면 직장 동료들이군요?"

"네. 다른 길드처럼 군기 잡는 분위기도 아니고 제가 말도 해 놨으니까 편하게 활동하시면 돼요. 로그인할 때 인사나 한 번씩 해 주시고……. 아! 매주 금요일 저녁 8시에 길드 레이드에요! 잠가 보상도 괜찮으니 꼭 끼세요."

"아, 감사합니다."

"하하, 뭘요! 전 이제 쉬러 갑니다!"

우리는 서로 인사하고 숙소로 이동했다. 각자에게 준비된 1인실.

나는 방으로 돌아와 킬리언스의 인벤토리를 정리한 후 주식과 계좌를 확인했다.

네메시스 - 5,275,000원(-1,052,000원)↓

"와. 계속 떨어지네."

진짜 150만 원까지 떨어질 듯 무시무시한 기세. 그러나 동시에 다른 생각도 든다.

"떨어지는 속도가 점점 느려지는데……. 150만 원까지는 안 떨어지지 않을까?"

생각해 보면 아무리 대체제가 생기더라도 리벤지에 무슨 문제가 생긴 것은 아니다.

'맞아. 최초로 완벽한 가상 현실을 구현했는데 이렇게 턱도 없이 무너져 내릴……. 아냐. 팬싸이트 보면 리벤지 소문으로만 듣던 플레이어들이 매운맛을 직접 보고 욕을 무지막지하게 달던데.'

잠깐 사이에도 몇 번씩 마음이 휙휙 변한다. 나는 결국 주식 앱을 꺼 버렸다.

대신 소설 앱을 켰다.

"후 잡념을 버리고 돈이나 벌자!"

마침 어제 새로운 소설 하나를 완결 냈다. 그러나 사실……. 그건 소설이라고 말하기도 어려운 물건이다.

↳튀긴감자 : 와 미쳤나? 제정신이 아닌데? 이건 설정집이잖아? 설정집을 한 권 이상 쓴다고?

↳010* : 뭘 위해 쓴 글이야……. 누굴 보라고 이런 걸 올리는 거예요?**

↳노아 : 이 소설가 작가 집단 맞죠? 문체가 다 다르잖아요. 아니 그보다 대체 후원은 누가 왜 하는 거예요?

↳튀긴감자 : 이 작가 그래도 예전엔 대중성을 좀 노리

더니만 이상한 후원 받더니 진짜 아무 글이나 막 올리네.

1편부터 33편까지 올린 지 하루도 지나지 않은 만큼 조회 수는 형편없다.

'아니 올린 지 한참이 지났어도 형편없었겠지.'

그러나 내가 기대하는 것은 구매 수가 아닌 다른 것.

과연 반응이 있었다.

[와우! 갤럭시님께서 드래곤 스톤 80만 개를 후원하셨습니다!]

"왔나!"

무려 8천만 원짜리 후원! 그것도 고작 33편짜리인데!

나는 드디어 깨달을 수 있었다.

"이 사람들, 역시 단순한 소설의 재미로 후원을 하는 게 아니었어!"

이 수상할 정도로 돈이 많은 후원자의 후원액이 작품마다 너무 달라 헤맸지만, 몇 번의 시도 결과 드디어 그 기준을 알 수 있었다.

"실화 바탕에 가산점이 붙는다. 그리고 작품을 만들 때 들어간 노력만큼 또 가산점이 붙어!"

내가 올린 33편짜리 게시물은 카테고리를 소설에 넣었을 뿐 사실 소설이라고 할 수 없다.

제목은 [마수 도감].

'어떤 상징적인 이야기가 아니라 진짜 마수 도감이라는 게 함정이지.'

어떤 마수가 어떤 습성을 가졌는지, 약점은 뭐고 특징은 뭔지.

수많은 기사와 마법사. 사냥꾼들이 목숨을 걸고 알아낸 정보들을 그대로 베껴서 연재한 것이다.

"좋아, 이거면 가능하겠다."

사실 이제 베껴 쓸 작품이 없는 상황이었다. 애초에 아르데니아는 그리 문학이 발달된 세상이 아니었고, 몬스터가 튀어나온 난세에 책을 가지고 탈출하는 이도 드물었기 때문이다.

그리고 마수 도감이 먹힌 지금.

금단의 기술을 사용할 때가 왔다.

"좋아. 돈 잔뜩 벌어서 주식 다 사 버리자!"

기합과 함께 필사를 시작한다.

명 제국의 왕조를 저물게 할 뻔했던 저주받은 명작.

[백과사전]을.

* * *

"수고하셨습니다!"

"오늘도 수고하셨습니다!"

또 하루의 촬영을 마치고 저녁을 먹는다. 어느새 촬영을 시작한 지 한 달. 친해진 스태프들은 서너 명끼리 모여 떠들기도, 열댓 명이 모여 게임을 진행하기도, 혹은 눈이 맞아 지구와는 다른 몽환계를 누비며 데이트를 하기도 한다.

나는 식당에서 커피 한 잔을 받아 촬영장 한쪽에 마련되어 있는 전망대에 자리 잡았다. 나처럼 혼자인 사람들이 많이 오는 곳이다.

"로그인."

이제는 익숙한 복화술로 필사를 시작. 그런데 로그인과 로그아웃을 반복하며 필사를 반복하는 내 귓가로 기묘한 소리가 들려온다.

[나를! 따르라! 부칸다 포에버!]

[포에버는 무슨! 망했거든!]

고개를 들어보니 저 멀리서 우르르 몰려다니는 몽환의 조각들을 보인다.

"누군지 개꿈 특이하게 꾸네……."

몽환계는 세상에 존재하는 문명 대부분에 딸린 일종의 부속 차원이다. 수많은 사람의 꿈이 모여 만들어진 장소.

처음 몽환계가 공개되었을 때 온갖 기업들의 주가가 출렁일 정도로 엄청 난 충격을 주었다고 한다. 160억 인구의 꿈이 얽혀 만들어진 몽환계의 악몽들을 처치하면 레어 메탈에 준하는 몽환석과 영약에 준하는 몽환초 등을 얻을 수 있었기 때문이다.

온갖 기사가 쏟아졌던 것으로 기억한다. 몽환계의 경제적 이익이 수십 조가 넘는다. 새로운 직업이 생길 것이다. 기가스가 활동하기 힘든 지역이라 마법을 제외한 전투 이능들도 크게 부각될 것이다 등등.

'하지만 꽝이었지.'

몽환계에서 얻을 수 있는 부산물들이 꽝이었던 건 아니다. 실제로 영화 촬영 중 떨어지는 물건들을 따로 수집하는 팀이 따로 있을 정도니까.

문제는 몽환계에 오는 방법, 그 자체이다.

'궁극 마법이 필요하니까.'

몽환계가 발견된 초창기에야 대마법사들이 이런저런 연구를 하느라 자발적으로 차원문을 열어 주었기에 압도적인 이득이었지만 그들의 발길이 끊기자 상황이 달라졌다.

차원문을 여는 '비용'이 문제가 된 것이다.

'배보다 배꼽.'

그 때문에 지금은 긴 텀을 두고 투자를 받아서 한 번에 본전을 뽑는 방식으로 진행된다. 채굴단, 연금술사, 수렵단, 영화사, 식품 기업 등등이 우르르 몰려들어와 몽환계 곳곳으로 흩어졌다가 한 달에서 두 달 뒤, 지구로 귀환하는 식.

물론 이것만 해도 하나의 시장이라고 할 만하지만, 과거에 기대했던 것만큼의 규모는 될 수 없었다.

물론 대마법사 중 하나가 지속적으로 차원문을 열도록 만든다면 이야기는 다르겠지만.

'감히 누가 대마법사를 강압하겠어.'

중급신인 삼신. 상급신인 성계신. 그리고 최상급 신인 게임 마스터 정도가 아니라면 그 누구도 대마법사를 강제할 수 없다.

하위 문명에서는 신으로도 추앙되는 게 바로 대마법사 아니던가? 34지구에서는 그 무게감이 좀 덜하다 하더라도 초월자란 결코 무시할 만한 존재가 아니다. 8클래스는 그저 인간의 정점일 뿐이지만, 9클래스는 신의 경지이기 때문이다.

"재연아!"

체다의 배를 두드리던 걸 멈추고 커피를 홀짝이는데 성재가 모습을 드러낸다.

나는 눈살을 찌푸렸다.

'아니, 이놈은 왜 이렇게 따라다녀. 친구 없나?'

사람은 착한 거 같은데 요새 좋게 볼 수가 없다.

"아, 지금 표정 너무한 거 아냐? 나 상처받아!"

이제는 제법 친해진 성재의 불만에 코웃음을 친다.

"일할 때마다 와서 방해하니 그러지."

"하루에 촬영을 10시간 넘게 하는데. 쉬는 시간에도 일하는 게 비정상이야! 게임하자. 게임! 왜 월드 던전 안 와!?"

"바빠."

그렇게 답하며 다시 체다의 배를 두들긴다.

체다의 부드러운 뱃살이 투투퉁 물결치며 허공에 글자가 새겨진다.

[가시 뿔 꽃 (왕관 꽃, 사슴 꽃, 시체 꽃)]

백인마수(百人魔獸)의 시체가 썩으며 아주 드물게 자라나는 꽃. 마수의 피와 살점을 양분으로 삼아 자라며 다 자란 후에는 물만 줘도 10~15년 동안 봄~가을까지 꽃을 피운다. 고약한 냄새를 풍기는데 마수들이 특히 그 냄새를 싫어해 1km 안쪽으로 얼씬도 하지 않는다.

내가 쓰고 있는 글을 옆에서 훔쳐본 성재가 묻는다.

"아니, 이번엔 식물이네. 대체 뭘 쓰시는 거야? 논문?"

"그냥 개인적인 거."

내가 적당히 대꾸하자 성재가 툴툴거린다.

"아, 좀 놀아 주지."

"바쁘다니까. 너랑 놀고 싶어 하는 사람 많은데 왜 나한테 와서 그래?"

아닌 게 아니라 사람이 뜸하던 전망대가 시끌시끌하다. 많은 배우와 스태프들이 성재를 구경하기 위해 따라왔기 때문이다.

"다 여자잖아. 나 친구 되게 많은 줄 아는데 남자 친구는 별로 없거든?"

그러고 보니 녀석을 따라 우르르 몰려다니는 사람은 대부분 여인들이다. 물론 남자가 아예 없는 건 아닌데, 그들은 주로 그렇게 몰려다니는 여인들 때문에 붙은 사람들이니 다를 건 없다.

"남자 친구라고 하지 마. 게이 같으니까."

"아, 매정한 놈 진짜."

성재가 타박했지만 어디 감히 남정네가 타박 따위를 한단 말인가? 단호하게 끊어 낸다.

"이 작업만 끝내고. 꽤 큰 거라서."

"에휴. 그래 나는 여인네하고 놀러 가련다."

투덜거리며 떠나가는 성재에게 손을 흔들어 주고 작업을 이어 나간다,

타타탁. 탁!

[꼭꼭 숨어라~ 머리카락 보인다.]

[꼭꼭 숨어라 머리카락 보인다.]

[꼭꼭 숨어라……]

[찾았다!]

"아, 시끄러워. 저놈은 왜 결계 바로 옆에서 저러고 있어."

몽환의 조각. 그중에서도 특별히 힘을 얻은 악몽이 우리를 겁주겠다는 듯 시끄럽게 굴지만, 녀석에게는 아쉽게도 그 누구도 신경 쓰지 않는다.

몽환계로 노동을 하러 오는 사람들은 최하가 이능 숙련자.

최상급 악몽도 네임드도 아닌 잡몹 따위 결계를 부수긴 커녕 알바한테도 퇴치당한다.

타타탁! 탁!

나는 창가에 새겨진 마법진을 조작해 외부 소음을 줄인 후 오늘 작업을 마친 12만 자짜리 게시물을 올렸다. [설정집] 시리즈는 무료 연재였기에 리플이 달린다.

↳식물갤: 아니 여기 풀들 진짜 있는 식물인가 하고 검색해 보니 없는 식물이잖아요! 그나마 리벤지 배경 설정에 나오는 식물이 비슷한데 그러면서도 묘하게 다르네요. 이마수라는 건 도대체 뭐예요? 몬스터?

"와. 아무리 무료라지만 이걸 읽는 사람이 있네."

그냥 적당히 '이런 거 왜 씀?'이런 것만 달릴 줄 알았는데 실제로 읽는 사람이 있다니 충격이다.

"……아니, 너 아직도 쓰냐?"

작업을 다 마치고 슬슬 일어나려는데 성재가 뜨악한 표정으로 나를 바라보고 있다.

"이제 다 끝났어."

"아, 아니 잠은? 이제 조금 있으면 조식 시간인데 밤새도록 쓰다니……."

기막혀 하는 그의 모습에 어깨를 으쓱인다.

"체력이 좋아서 안 자도 돼. 씻고 나올 테니 같이 아침이나 먹자."

"아니, 뭔, 생체력 수련자도 잠은 자는데……."

기막혀 한다. 사실 당연한 일이다.

34지구에서 내 수면 시간은 0시간이니 옆에서 보면 이상하겠지.

'하지만 뭐 8시간씩 꼬박꼬박 자고 있으니까.'

차크라 술식 [완전 수면]은 이제 불가능하다. 해당 요소들의 자리를 무공 하나가 다 먹어 버렸기 때문이다.

그러나 얼음 여왕의 리젠까지 어느 정도 시간이 있고 후속 부대와 물자도 속속들이 도착하면서 전과 달리 여유가 꽤 생긴 상황.

후원을 크게 한 번 더 당기고 내려간 가격으로 주식을 사면 그때가 바로 화점으로 쳐들어갈 때이다.

"로그인."

아르데니아로 돌아간다. 그리고 내 앞에 펼쳐져 있는 거대한 책을 보며 탄식한다.

"하…… 한 권 주제에 더럽게 오래 걸리네. 책을 현실로 꺼내든, 복사 붙여넣기 요소를 각성하든 해야 하는데."

명 제국의 위세가 하늘을 찌르던 400년 전. 명 제국의 7대 황제 헌원길은 문득 그런 생각을 했다.

세상 만물의 기준점이 되는 지식을 한 권의 책에 담고 싶다!

정말 개뜬금 없는 생각이었지만 황제가 까라면 까야 하는 곳이 바로 중세 랜드다.

'명 제국의 국력이 총동원된 대역사의 시작이었다지.'

현대에서는 지식의 가치가 대단치 않다.

기나긴 역사와 전문 지식들이 다운로드 한 번이면 개개인에게 전달되고 마이튜브에만 들어가도 높은 경지의 무학과 우주선도 만들 기술이 보기 좋게 가공까지 되어 굴러다닌다.

그러나 중세 랜드는 그렇지 않다.

먼지만 한, 쥐꼬리만 한 지식도 비전이다. 기술자가 제자나 직원에게 기술을 가르쳐 주지 않고 어깨너머로 볼 수 있게 하는 것만으로도 온갖 생색을 다 내는 곳. 사냥꾼은 자신의 노하우를 숨기고 약초꾼은 목에 칼이 들어오기 전까지 약초의 특성을 말하지 않으려 한다.

지식과 정보가 자연스럽게 흐르지 않고 고여서 썩어 버리는 야만의 세계.

그런 세계에서 온갖 지식을 끌어모으는 것은 무소불위의 권력을 가진 황제에게도 쉬운 일이 아니었다.

어마어마한 인력과 금력이 소모되었다.

오러 수련법이나 마나 연공법 등 힘 그 자체와 연관된 지식은 결국 빠지게 되었음에도 그러했다.

그러고도 걸린 시간이 23년.

위세가 하늘을 찌르던 명 제국이 휘청거리게 되고, 제국의 힘이 지나치게 소모되고 있다는 것을 깨달은 자들에 의해 헌원길은 황제의 자리에서 쫓겨나게 되었다.

백과사전(百科事典).

명 제국은 자신들의 왕조를 끝장낼 뻔한 그 저주받은 명작을 다른 국가들에게 판매해 텅텅 비었던 국고를 일부나마 회복할 수 있었다. 그 탄생 비화와 별개로 거기에 담긴 지식은 진짜였던 만큼 다른 나라들 역시 그 책을 구매해 받아들였다.

그리고 그중 하나가 바로 이 책.

나는 아르데니아에도 20권의 채 안 되는 백과사전을 크롬 왕국의 수도에서 획득할 수 있었다.

"와. 아무리 백과사전이라지만 한 권짜리가 몇 글자나 나오는 거야."

나는 문서 파일을 확인했다.

274만 자.

"와…… 이거 다 쓰며 300만 자는 나오겠네."

연재 분량으로 치면 600편, 권으로 치면 24권짜리다. 거대한 사이즈의 책이 깨알만 한 글씨로 가득 차 있어 가능한 일이었다.

대체 이 책을 만들기 위해 움직인 사람이 몇 명일까? 오타 한 번 내도 대참사인 작업에서 그들이 들였을 노력은?

'타이핑해 옮겨 쓰는 것만 해도 이 정도의 일인데…….'

그러는 와중에도 시간이 지난다.

"수고하셨습니다!"

"재연 씨! 검기 한 3미터 못 뽑나? 좋아! 그대로 20초만 있어 봐!"

"수고하셨습니다!"

"그래! 좋았어, 그거야!"

촬영이 순조롭게 진행된다. 앨런 감독은 신들린 것처럼 대본을 쓰고 아무 때나 카메라를 들이밀었다.

그 과정이 그에게도 꽤 힘들었는지 단정했던 머리가 산발이 되고 두 눈은 시뻘겋게 충혈된 상태였다.

"재연 씨, 재연 씨네 왕국은 어떤 곳이었지?"

"모르죠."

타타탁! 탁!

타이핑을 치고 있는데 찾아온 앨런의 말에 대충 대답한다. 그는 답변을 못 들었다는 듯 다시 물었다.

"재연 씨, 재연 씨네 왕국은 어떤 곳이었지?"

"모른다니까요?"

그런데 또 묻는다.

"재연 씨, 재연 씨네 왕국은 어떤 곳이었지?"

"아니, 후……."

자꾸 들어오는 방해에 호흡을 고른다.

"몰라요. 본 적도 없습니다. 저도 34지구 출신이라는 거 잊었습니까?"

정색하며 돌아본다. 촬영 중도 아닌데 왜 와서 괴롭힌단 말인가?

그런데 앨런이 카메라로 나를 찍고 있다.

"……뭘 찍어요?"

"컷."

"그놈의 컷은 진짜."

촬영이 끝나간다. 일개 배우인 나는 영화를 찍는 당사자이면서도 전체적인 그림을 알 수기 없었다.

'촬영이 잘되고 있기는 한 건가?'

출연료 받고 끝나면 상관없는데 러닝 개런티가 걸려 있으니 신경이 쓰인다.

"뭐, 잘하겠지."

적당히 넘기고 작업을 마무리한다.

[그리하여 세상 만물의 기준점이 되는 지식의 보고가 완성되었으니.]

[제국이여 영원하라.]

"이건 뺄까?"

그런 생각이 문득 들었지만, 내가 하는 것은 창작이 아닌 필사라는 사실을 떠올리고 그냥 타이핑해 업로드했다.

그리고 게시판을 가만히 바라본다.

재미도 없는, 어마어마한 분량의 게시물의 조회 수는 0까지 떨어졌다. 혹 조회 수가 있어도 1~3회 정도에서 그치는 정도.

그러나 상관없다. 가만히 조회 수를 바라본다.

그리고 어느 순간.

탁!

거의 동시에 모든 게시물에 1의 조회 수가 추가되고.

[와우! M-4님께서 드래곤 스톤 1,500만 개를 후원하셨습니다!]

"……!"

온몸이 부르르 떨린다. 매일매일 이어지던 필사에 쌓여 있던 피곤이 몰려오는 해일에 얻어맞은 듯 죄다 쓸려나간다. 온몸의 털이 바짝 서는 이 느낌.

치료 중의 치료. 정신계 회복술의 왕.

금융 치료였다.

"아…… 형님!"

절로 존경이 터져 나온다.

"믿고 있었다구!"

감동하고 있는 내 눈에 후원 메시지가 보인다.

[M-4 : **훌륭하다.**]

"형님도 훌륭하십니다!"

아무도 안 보고 있음에도 소리 내서 대답한다. 그만큼 큰 감동이었다.

1,500만 드래곤 스톤.

15억.

수수료만 해도 3억!

선에 받은 후원에 맞먹는 수수료의 거액이 통장에 내리꽂힌다.

"잠깐, 그럼 잔액이?"

즉시 계좌를 확인한다.

자유저축 예탁금(G-뱅크 1173-5511)

1,541,543,908원.

수수료를 떼고 받은 12억의 후원금에 영화 촬영으로 받은 2억 5천의 선수금, 그리고 기존 잔고가 더해진 금액.

"그리고 주식이……."

주식 앱에는 아무런 알림이 없었다. 즉, 자동으로 걸어두었던 일괄 매수가 시행되지 않았다는 뜻.

빠르게 네메시스의 주식을 확인했다.

네메시스 - 3,409,500원(+57,000원)↑

폭락했던 주식이 어느 순간 다시 오르고 있었다.

"역시 떨어져도 150만 원까지는 안 떨어지는구나…… 하긴 대체재가 생겼다 해도 선두 주자인 건 여전하지."

나는 잠시 고민했지만 이내 결심했다. 설마 여기서 다시 떨어질 리 없다.

"간다."

[네메시스 소프트를 300주 구매하셨습니다.]

10억이 살짝 넘는 돈이 일시에 빠져나간다. 단위가 달라진 계좌에 약간의 허탈감이 느껴졌지만, 이거라면 목적을 이루기에 차고 넘친다.

"그리고…… 쇼핑도 좀 하자."

캐쉬숍에 들어가 남은 돈으로 다이아 패키지를 왕창 구매할 즈음이었다.

"야옹!"

체다가 울었다. 녀석의 코를 눌러 주자 녀석이 나를 바라보며 말한다.

"안녕하세요, 한재연 님. 금융 감독원 중급 감독관 차상주입니다. 혹시 통화 가능하신가요?"

"아, 네……."

이런 식의 전화를 처음 받아 봐서 절로 떨떠름한 대답이 나왔다. 젊은 여성으로 짐작되는 목소리가 친절하게 묻는다.

"질문 몇 가지만 드리겠습니다. 지금 전화 받으시는 분이 해당 번호의 주인이신 한재연 님 맞으시죠?"

"네."

"조금 전 네메시스 소프트 주식 300주를 구입하셨습니다. 이는 누군가의 강압, 제안이 아닌 본인의 선택이신가요?"

"네."

"빠르고 깔끔한 답변 감사드립니다. 지금까지 중급 감독관 차상주였습니다. 행복한 하루 보내세요."

통화가 끝난다. 생각보다 간단한 통화에 나는 잠시 체다의 얼굴만 바라보았다.

잠시 인터넷 서핑을 해 보니 이 전화가 무엇이었는지 알 수 있었다. 나 말고도 많이들 받는 전화였다.

"큰돈이 한꺼번에 움직이면 이런 걸 확인하는군. 저 감독관인가 하는 사람은 진실신의 사제겠지."

최근 보이스피싱 문제가 매우 심각하다. 더구나 진실신

이 머무는 34지구에서 사는 사람들은 거짓말에 매우 취약하기 때문에, 다른 항성계나 차원에서 통신을 연결해 많은 피해자를 만들고 있었다.

삼신의 권역은 34지구뿐이고 무력적인 침략이 아니면 게임 마스터도 움직이지 않으니 생기는 빈틈을 노리는 범죄 행위!

그 연결 고리가 보통 이민자라는 걸 생각해 보면, 안 그래도 뿌리 깊은 외계 혐오에 기름을 붓는 악질들이기도 하다.

"로그인."

아르데니아로 들어간다. 자동 수복 능력으로 원래의 형태를 되찾은 영주성은 가구 하나까지 원래의 모습을 하고 있어 침실 전체가 깔끔한 상태다.

"좋아."

나는 자리에서 일어나며 입을 열었다.

"스킬 상점이 열리길 원한다."

[306주 → 272주]

주식이 줄어들고 허공에 균열이 생겨난다. 그리고 어느 순간.

팟!

내 앞에 한 사내가 내려선다. 그의 머리 위에는 이런

글자가 쓰여 있다.

〈스킬북 상점〉

리벤지의 NPC 중 일부는 상급 약인공지능을 이용해 '거의 사람처럼 보이는' 수준의 지성을 가지고 있다. 튜토리얼 때 만났던 영웅급 NPC 소울 마스터 아케인도 사람이 직접 채팅을 치고 있는 게 아닐까 하는 의문이 들 정도였지 않았던가?

'하지만 모든 NPC가 그럴 수는 없어. 그럴 필요도 없고.'

단가가 안 맞는다. 리전들로 인해 A.I기술에 추가 요금이 붙는 현실을 생각하면 더더욱 그렇겠지.

그 때문에 리벤지에선 지성이 필요하지 않은 NPC들은 정해진 대사만을 뱉어내는 자판기처럼 자신의 자리에서 역할을 수행한다. 자신의 역할이 이름을 대신하고 있는 이 사내 역시 그런 NPC 중에 하나이리라.

"어? 여긴 어디죠? 당신은 누구십니까?"

"아, 역시 이렇게 되나."

인간이나 다름없는 반응에 쓰게 웃는다.

하기야 짐작했던 일이다.

'몬스터들도 이랬으니까.'

제대로 된 대사 한 줄 없는 일반 등급의 고블린들도 온갖 말을 다 했다. 심지어 녀석들은 인간 여성에게 욕망을 느끼고 그들을 납치해 그 몸을 탐하기까지 했다.

게임 속 몬스터의 스크립트에서는 있을 수 없는 일이다.

"물건을 사러 왔다."

"네? 물건이요? 물건이라……."

녀석이 버벅거리는 모습에 나는 불안감을 느꼈다.

'아, 설마 꽝은 아니겠지?'

게임 속의 상점 주인은 현실적인 존재가 아니다. 지극히 편의주의적인 NPC.

그가 가진 스킬북은 누가 만들어서, 혹은 획득해서 채워 놓은 매물이 아니고 문자 그대로 '그냥' '무한히' 판매하는 것.

그런데 녀석이 현실이 되면서 상황이 달라진다면?

'매물이 없는데 어떻게 팝니까?'

뭐 이딴 소리를 해 버린다면?

그러나 다행스럽게도.

"아, 네. 어서 오십시오, 손님."

약간은 얼빠진 말과 함께.

띠링!

상점창이 떴다.

[판매 목록] [근접 우선 정렬]

전력 베기(일반) (상점) 6,500골드.

파워 스트라이크(고급) (상점) 77,000골드.

전력질주(일반) (상점) 6,500골드,

스피드 하이(고급) (상점) 77,000골드.

견디기(일반) (상점) 6,500골드.

아이언 바디(고급) (상점) 77,000골드.

가쁜 호흡(일반) (상점) 6,500골드.

마나 리젠(고급) (상점) 77,000골드.

……

'된다.'

나는 즉시 구매를 시작했다.

전력 베기나 파워 스트라이크, 견디기나 아이언 바디 같은 액티브부터 장검 숙련, 장궁 숙련. 스태프 숙련 같은 패시브까지.

수천 권씩 샀다.

우르르!

침실에 스킬북이 쏟아진다. 양이 너무 많아서 인벤토리에 넣을 수 있는 수준이 아니었다.

"엄청나게 구매하시는군요."

"많이 필요해서. 좀 늦은 이야기지만…… 이름이 뭐지? 스스로에 대해 기억나는 게 있나?"

용무를 어느 정도 해결한 상태에서 묻자 멍하니 있던 사내가 인상을 찡그렸다.

“이름…… 모르겠습니다. 제가 스킬 상점 주인이라는 것 말고는 아무것도요.”

‘설정이 없어서인가?’

충분한 지성과 역할을 수행할 능력이 있지만 그럼에도 과거가 없는 인물이라는 뜻이다.

어쩌면 배경 설정이 없는 일반 몬스터 또한 마찬가지일지도 모른다.

“……상점 주인 취소.”

“네? 제가 취소라니 무슨 말씀…….”

팟!

[272주 → 283주]

사내의 모습이 사라지고 주식이 어느 정도 회복된다.

그러나 처음 가지고 있던 만큼은 아니다.

“뭐? 아니 설마…… 로그아웃!”

지구로 돌아가 주식 수를 확인한다. 다행히 현실의 주식은 그대로였다.

“깜짝이야. 하기야 저 안에 주식이 줄었다고 지구의 권리가 사라질 리는 없겠지만……. 로그인.”

놀란 가슴을 진정시키며 지켜본다.

그리고 잠시 후.

[283주 → 284주]

"회복되는군…… 무슨 마나도 아니고."

기막힌 일이었지만 적어도 주식이 날아가지 않은 것은 다행이었기에 안심하고 다음 과정을 진행한다.

"잡화 상점을 열겠어!"

아직도 골드도, 주식도 많다.

이제, 그것들을 쓸 시간이다.

* * *

성문이 열리고 군대가 돌격한다.

그 숫자는 무려 6만!

게다가 그 엄청난 숫자의 1/3가량이 클래스 카드와 아이템으로 무장한 정예병이다.

"숫자가 엄청나게 늘어났군."

"이민자 중 괜찮은 신체 조건을 가진 이들 전부가 훈련소를 수료하는 족족 내려오고 있는 상황입니다. 본인을 포함한 가족들이 시민권을 얻는 가장 빠른 길이지요."

플라워의 보고에 고개를 돌린다.

"그러면 불만이 많을 텐데?"

내 말에 플라워가 잠시 당황하더니 이내 고개를 흔들었다.

"아니 어떻게 그런 생각을…… 아닙니다. 성주님. 오히려 조건에 미달하는 아이와 노인이 죄다 와일드 보어 성의 교육대로 들어오겠다고 몰려든 상황이지요. 소드맨 교육대장은 그들을 걸러 낼 시험 기준을 만들기 위해 잠도 못 자고 있지요."

"……다들 군대를 가고 싶어 한다고?"

"물론입니다. 성주님은 이 클래스의 힘을 너무 무시하시는군요."

클래스 카드를 장착한다면 여리여리한 소녀가 근력으로 거한을 거꾸러트리는 게 가능하다. 재능이 부족해 마나를 깨우치지 못하던 이들이 마나를 사용하고 몸치였던 이들이 날아오는 화살을 눈으로 인식할 정도로 기민해진다.

본인조차 놀랄 정도로 압도적인 효능감. 하물며 그 모습을 옆에서 바라보는 이들은 어떤 생각을 하겠는가?

"군인은 가장 확실하게 클래스를 얻을 수 있는 길입니다. 경쟁이 치열한 게 오히려 당연하지요."

나는 플라워를 바라보았다. 뛰어난 머리와 결단력을 가졌음에도 출신과 성별의 한계에 좌절하던 14살 소녀.

처음 봤을 때의 조그맣던 모습이 눈에 선한데 어느새 훤칠하게 자라, 턱도 없이 높아진 자리와 권한의 무게에 짓눌리지 않고 완벽하게 적응하고 있다.

정의신도 진실신도 없는 이곳의 인간들이 얼마나 쓰레

기 같은지 20년 동안 질리도록 경험해 온 나에겐 실로 기적 같은 일이다.

'이렇게 보면…… 내가 인복은 있군.'

이 야만스런 중세 랜드에 떨어져 열 번도 넘게 배신당하고 뒤통수를 맞아 왔지만 그럼에도 남은 자들이 있다. 플라워, 스틸스톤, 소드맨 등등…….

'어쩌면 내가 얻어 낸 최대의 성과는 영지가 아니라 그 안의 사람들일지도 모르지.'

그렇게 생각하는 동안에도 플라워는 말을 이어 나가고 있다.

"성주님께서는 고향과 가족을 잃은 그들을 이끄셨습니다. 지금 저희의 세력은 온전히 성주님 홀로 일으켜 세운 것이라 해도 과언이 아니고 사람들은 그것을 알고 있습니다."

숭배에 가까운 말.

그러나 그럼에도 그 말을 하는 그녀의 표정은 극도로 차분하다.

"전쟁에 참여해 죽을지 모른다 해도?"

"원래 저희들은 언제 죽을지 모르는 파리 목숨이었습니다. 물론 성주님께서 그들에게 평온과 안전을 안겨 주셨으니 언젠가 그들의 마음도 달라지겠지만. 적어도 지금 당장은 다릅니다. 그만큼 성주님은 압도적인 명성과 경외감을 가지고 계십니다."

보통 국가라고 한다면 위에 있는 소수가 다수를 착취하는 형태인데 비해.

나는 나, [한재연]이라는 개인이 국가 전체, 나아가 구성원 전체를 대상으로 퍼주는 형태다.

'기형적이지.'

이게 평시였다면 온 대륙의 귀족이 다 나의 적이 되었을 것이다. 제국이든 왕국이든 연방이든 입에 거품을 물고 지랄할 놈들이 한둘이 아니었겠지.

내가 영지 세금을 너무 낮춘다고 지랄하던 놈들이 기존의 귀족들 아니던가?

내 능력이 그 누구에게도 피해를 안 준다 해도, 아니 오히려 그렇기 때문에 온갖 녀석들이 나를 적대했을 것이다. 그야말로 대륙 규모의 토벌군이 만들어져 나를 악마로 규정하고 해치우려 들었겠지.

'하지만 이제는 다르다.'

그러나 몬스터들로 대륙이 엉망이 된 지금, 나는 구원자가 되었다.

"알겠다."

나는 고개를 끄덕이고 행군하는 병사들을 바라보았다. 먼 길을 걸어왔음에도 병사들의 제식은 훌륭하지만, 그래 봐야 태반이 신병이나 다를 바 없는 상황이었기에 전투력의 한계는 분명히 있다.

'아마도 큰 피해가 발생하겠지.'

그러나 어쩔 수 없는 일이다. 지금의 내가 아무리 강해졌어도 혼자서 전쟁을 할 수는 없는 일이기 때문이다.

혼자 던전에 들어갔다가 얼음 여왕의 암살에 실패하기라도 하면?

아무리 로그인, 로그아웃을 반복해 체력과 생명력을 회복시키며 버텨도 죽음을 피할 길이 없을 것이다.

'그리고 무엇보다…… 병사들도 성장해야 한다. 레벨적으로든 경험적으로든.'

던전을 돌며 실전에 익숙한 정예병들이지만, 그렇다 하더라도 파티 플레이와 전쟁은 분명히 다르다. 피해가 발생하더라도 정면으로 싸워 승리와 경험을 쌓아 가야 한다.

"카심."

쿵!

가벼운 말과 함께 허공에서 백색의 드레이크가 나타나 땅에 내려선다. 주변을 걷고 있던 병사들이 수군거리는 소리가 들린다.

"백룡 카심! 이렇게 가까이에서 처음 봐!"

"정말로 비늘이 눈처럼 하얗군! 눈이 부실 지경이라니……."

"이빨 좀 봐…… 무시무시하다."

한순간 주변 행군 속도가 느려지는 게 느껴진다. 나는 그들이 아예 멈춰 서기 전에 카심의 등 위에 올라탔다.

"다녀오십니까?"

"그래."

그렇게 대답하고 채팅창을 연다. 내가 구매한 300주의 주식은 꽤 넉넉해서 [단체방]을 운영할 수 있다.

한재연 : 먼저 가서 인사라도 해 두겠다. 진형을 유지한 채 전진해라.

그렇게 채팅을 보내자 두 기사와 마법사. 그리고 서른 명의 천인장들이 우르르 대답을 올린다.

나는 그 내용을 슥 살핀 뒤 카심을 조종했다.

콰앙!

난폭한 이륙! 이제는 녀석의 시그니처나 다름없는 모습이었기에 처음처럼 놀라 자빠지는 병사의 모습은 보이지 않는다.

"크아앙!"

가볍게 포효한 카심이 쏘아진 화살처럼 하늘로 쏘아진다.

그때였다.

팟!

"……!"

난데없이 눈앞으로 나타난 뭔가를 손으로 채 낸다. 순간 누가 투창이라도 날린 줄 알았는데 아니었다.

"이게 뭐야…… 지팡이?"

그것도 눈에 익은 디자인의 물건이었다. 마치 교통 표지판처럼 생긴 그것은.

"아니, 잠깐…… 이거 브람이 들고 있던 그 물건 아닌가? 이게 왜 여기에……."

내가 놀라거나 말거나 하늘을 가로지르는 카심의 안장에 앉아 지팡이를 살펴보았다.

그리고 그런 내 눈앞으로 창 하나가 떠올랐다.

[검은 태양의 지팡이.]

신의 기적을 증명하는 지팡이.

신격. 검은 태양의 계약자들에게 주어지는 이것은 추종자들의 신앙을 경외를 먹고 작동하는 대신 극히 높은 위력 보정치를 가진다.

[최상급 위압]

소유자의 랭크를 1단계 다운, 다운된 랭크 이하의 [모든] 대상의 [모든] 스킬을 봉인시킨다.

[하급 제외]

범위 기술에서 예외를 1명 둘 수 있다.

"……."

가만히 설명을 읽던 난 예전 성재가 했던 말을 떠올렸다.

“사실 저도 의문이에요. 말 그대로 듣도 보도 못한 성능이잖아요? 경찰 누나가 말해 줬는데 경찰에서도 결국 그 수법이 뭔지 찾아내지 못했다고 하고…….”

“이게…… 그 수단이라고? 아이템?”

그런데 아이템 설명이 너무 이질적이다. 공격력도 스텟 보정도 없이 아이템의 유래와 특수 효과만 서술해 놓은 형태.

나는 깨달았다.

“이거…… 리벤지 방식이 아닌데?”

그걸 깨닫는 순간.

“로그아웃.”

지구로 돌아가 체다의 배를 두들긴다. 결과는 금방 나왔다.

[검은 태양의 지팡이.]

[특전 무기, 검은 태양의 화신으로 노멀 클리어 시 사용이 가능해진다. 위력 보정치가 S급인 주제에 힘 요구치 14, 지능 요구치 13밖에 되지 않아 언뜻 사기 무기처럼 보이지만 착용자의 랭크를 1단계 다운시킨다는 리스크가 너무 커 보스전 중심인 아크 데모닉에서는 선호되지 않는다. 고인물들이 예능용으로 주로 사용한다.

PS. 굳이 활용하고자 한다면 필드 정리용 양학 무기로

쓸법하다.]

"이런, 이건."

잠시 멍하니 화면을 보고만 있었다.

"다른 게임의…… 아이템이라고?"

순간 온갖 생각이 머릿속에서 휘몰아친다. 그중 가장 크게 휘몰아치는 생각은 이것이었다.

나뿐이 아닐지 모른다.

"이런 멍청한……."

당연히 해야 할 생각이었다. 아무것도 아닌 사회 부적응자가 하루아침에 얻은 능력은, 다른 사람 역시 얼마든지 얻을 수 있다는 말 아니던가?

나는 체다의 배를 두들겨 [현실], [게임 능력]에 대해 검색했다.

[어르신들의 스킬이 현실에 적용되는 방식에 대하여.]

[게임 마스터의 사제들이 가진 현실 게임 능력.]

[특종! D.I.O 출신 플레이어들이 가진 게임 능력의 현실 적용은?]

[투신전 출신 반선들의 게임 능력에 대해서.]

[충격! 게임신의 사도가 가진 레전드급 스킬에 대하여.]

"아, 제길……."

금방 포기했다. 검색 결과가 너무나 많다! 하기야 [게임]이라는 관념, 그 자체를 지배하는 게임 마스터의 영역인 34지구에서 이따위 검색어로 찾을 수 있을 유의미한 결과는 없다고 봐야 할 것이다.

대신 특이한 영상을 하나 발견했다.

[압구정에 나타난 게임 속 오우거!?]

"뭔 소리야?"

터치해 영상을 재생한다. 영상은 제목에 쓰여 있는 대로 수많은 사람이 오가는 압구정을 비추고 있었다. 누군가는 바쁘게, 또 누군가는 느긋하게 걷는 길 위 공간이 난데없이 일그러지더니 그 안에서 불쑥 무언가가 모습을 드러낸다.

"크어어어!"

수많은 인파 한가운데 3.5미터의 거인이 모습을 드러낸다. 마치 갑주처럼 두꺼운 근육으로 온몸이 무장한 괴물. 오우거!

식인 거인이라 불리며 생명체라고 생각되지 않는 괴력을 지닌 오우거는 몬스터들 중에서도 최상급에 속하는 괴물이다. 몇 개의 산을 영역으로써 홀로 차지하며 수많은 희생자를 만들어 내는 공포의 존재!

"아, 뭐야. 저거 오우거인가?"

“근데 체형이 좀 이상하지 않냐? 내가 아는 오우거는 머리가 더 크고 팔이 길고 배도 튀어나와 있는데…… 저 녀석은 거의 인간 비율이잖아. 마수원에 있는 오우거보다는 게임에나 나올 법한 외향이야.”

“그럼 소환수인가?”

그러나 그런 괴물이 나타났음에도 도시의 누구도 두려워하지 않는다. 일반적으로 생각하는 안전불감증 정도를 넘어, 그 누구도 눈 하나 깜빡하지 않고 있었다.

“오. 몸이 저릿저릿해. 이게 살기인가.”

불과 2미터 앞에 있는 오우거의 모습에 사내 하나가 식은땀을 흘리면서도 슬금슬금 다가간다. 주변에 사람이 많은 걸 믿는 것인지 겁을 상실한 모양새.

그 모습이 마음에 들지 않았던 것일까? 오우거의 눈이 살기로 번뜩인다.

퍼억!

“끄엑!”

오우거의 주먹질에 다가서던 사내가 비명과 함께 날아가 바닥을 구른다.

대번에 사람들의 시선이 변한다.

“사람을 쳤어? 대로 한복판에서? 대놓고?”

“어머어머. 진짜 미친 거 아니니? 별 꼴을 다 본다, 얘.”

“이거 정당방위다!”

"경찰 불러! 아니, 이 경우에는 경찰이 필요 없나!?"

싸늘해지는 분위기에 오우거의 눈이 핏빛으로 물든다.

그리고.

뻐억!

"크륵!"

오우거의 몸이 휘청인다. 하늘에서 떨어진 얼음 망치 때문에 벌어진 일이었다.

"크아아!"

예상치 못한 고통에 오우거의 살기가 더욱 진해진다. 주변에 있는 모든 인간을 씹어 먹어도 풀리지 않을 분노!

그러나 얼음 망치는 시작에 불과했다.

"저거 잡아요! 폭행범이에요!"

"소환사부터 찾아볼게요!"

"경찰 신고했어요! 등장까지 21초!"

"그, 그럼 나는 그 전에 한 방만!"

여기저기서 소란이 일고.

콰릉! 쾅! 퍽! 꽈득!

벼락, 얼음 창, 강철 꽃 등 수십, 아니 거의 백여 개에 가까운 공격이 내리꽂힌다.

이곳은 도시. 수많은 사람이 오가는 장소.

그리고…… 34지구의 능력자 중 과반수 이상이, 원거리 공격에 능한 마법사이다.

뻐버벅! 퍼억! 쾅!

"크릭! 컥! 케엑!"

무지막지한 타격에 오우거가 비명을 지른다. 녀석은 몸을 움직여 피하려 했지만, 어느새 바닥에서 튀어나온 쇠사슬과 얼음 결박이 녀석의 몸을 붙잡고 있다.

"역시 다굴에는 장사 없군."

단독으로 오우거를 상대할 만한 수준의 전투 능력자는 34지구에도 흔치 않다. 경찰이나 군인을 할 게 아니면 전투 능력을 단련할 필요가 없고 완성자 수준까지 경지를 단련할 이유 역시 그다지 없기 때문.

그러나…… 일대일로 어림없다 하더라도 숫자 차이가 이렇게까지 나면 방법이 없다.

오우거는 결국 경찰이 도착하기도 전에 죽고 말았다.

"심지어 이 한 건도 아니네."

오우거, 트롤, 만티코어 같이 유명하고 마수원에도 흔히 존재하는 몬스터부터 결정 도마뱀, 둔기를 든 성직자(인간형이라 살해당하지는 않고 체포당했다.), 대형 망자쥐, 저주나무 등 특정한 게임을 해 본 사람만이 알아볼 수 있는 몬스터도 있다.

"이런 사건들이 있었는데 전혀 몰랐다니……."

그러나 어찌 생각하면 당연한 일이다. 실제로 34지구에서 이 사건들이 별로 크게 다뤄지지 않았기 때문이다.

잠깐의 검색만으로 몬스터가 도심, 혹은 지방에 모습을 드러낸 경우를 서른 건 넘게 찾아낼 수 있었거늘 뉴스에서 다뤄진 건 그나마 인명 피해, 심지어 사망이 아닌 부상이 있던 3건에 불과하다.

누군가 정보 통제를 하는 게 아니다.

그냥 별로 다뤄지지 않은 것이다.

뉴스에서 다뤄진 건도 과거로 치면 '도심에 멧돼지가 등장해 잠시 소란이 있었습니다.' 정도의 감상.

"그렇군. 이런 일이 작년부터 꽤 있었어. 몬스터와…… 아이템들이 나타났었다."

나는 기사를 확인했다. [도시 한가운데 몬스터 등장! 게임 마스터님의 이벤트?]라던가, [게임 아이템을 본 따 만들어진 2급 마법기 발견?] 등의 기사들이 있다.

"뭔 기사가 다 물음표로 끝나? 이게 그 길고리 저널리즘인지 뭔지 하는 그건가?"

어이가 없어 웃었지만 어쩔 수 없는 일이었으리라. 결과적으로 그들은 이 일에 대해 아는 게 없었으니까.

심지어 이 사건들은.

'사소해.'

그렇다. 다 사소한 일이다. 도시 한가운데 오우거 등의 몬스터가 나타나는 것? 길 가던 행인에게 뭇매를 맞고 사라졌으니 아무 문제없다. 몇몇이 오우거에게 당해 상처를 입기도 했지만 금방 치료받았다.

길거리에 1~2급 마법기가 떨어진 것? 사람들이 주워서 가까운 경찰서에 가져다주고는 끝이다. 이 중세 랜드라면 그걸로 전쟁도 나겠지만 34지구에 주인이 누군지도 모를 아이템에 욕심 부리는 사람은 그다지 많지 않다.

물론 내가 발견한 이 검은 태양의 지팡이 수준이라면 이야기가 좀 다르겠지만 이 물건은 아이템들 중에서도 제법 예외적인 경우였다.

'다만…… 나 같은 경우가 안 보여.'

검색 결과 어디에도 나와 같은 케이스에 대한 이야기가 없다. 물론 정말 없는지 알 수 없는 일이다. 지금의 내가 그러하듯 숨기고 있는 이가 있을 수도 있으니까.

결국.

"뭐 당장…… 할 수 있는 게 없네?"

깜짝 놀라 로그아웃 한 것치고는 허무한 결론이지만 사실이 그러하니 어쩔 수 없다. 그저 앞으로 뉴스를 잘 확인하기로 다짐했다.

"로그인."

아르데니아로 돌아온다. 하늘을 가로지르는 카심의 등 뒤에서 고개를 내밀자 강물처럼 뒤로 흘러가는 땅의 모습을 보인다. 그리고 그 위에 우글우글 모여 있는 몬스터들의 모습 역시.

나는 녀석들을 내려다보다 문득 생각했다.

"아, 그러고 보니……."

고삐를 당겨 조종하자 카심이 날개를 반으로 접어 먹이를 노리는 독수리처럼 낙하하기 시작한다.

“나는 아이템, 스킬 하나에 수백 수천 하는 똥망 과금 게임을 하는데…….”

카심이 숨을 들이켜자 녀석의 벌려진 입 앞으로 신성의 구슬이 떠오른다. 그리고 땅에 닿기 직전 그것을 덥석 삼킨다.

“누군가는 갓겜을 하고 있는 건 아니겠지---!”

던전만 돌아도 전설이 쏟아지고 레벨만 올려도 스킬을 배우는! 그런 게임을 하지는 않겠지!

“크아아아앙-----!”

두 짐승이 포효한다!

번쩍!

눈부신 빛과 함께 빽빽하게 몰려 있던 군세 한가운데에 거대한 구멍이 뚫린다.

“후.”

나는 쏟아져 내린 드랍템이 카심의 회수 능력으로 인벤토리에 차오르는 것을 느끼며 호흡을 골랐다.

그러나 그 순간. 빽빽한 몬스터들 사이에서 엘리트 몬스터들이 불쑥불쑥 튀어나온다.

“묶어라!”

“크어어!”

“잡아 죽여!”

얼음의 군세 사이사이에서 냉기가 솟구쳐 오르더니 하늘에서 연결되어 거대한 얼음의 그물이 되었다.

"뭐?"

전혀 뜻밖의 대응에 당황한다. 단번에 수백의 몬스터가 쓸려 나가는 공격이었음에도 반응이 너무나 즉각적.

마치 내 공격을 기다리고 있던 것 같다.

"이런!"

나는 즉시 괴력검을 꺼내 들었다.

찰나결(刹那訣) 제1식.

일검세(一劍勢).

쩌저정!

하늘을 뒤덮고 있던 얼음 그물이 단박에 누더기가 되었다.

이게 무슨 말이냐면, 끊어지지 않았다는 뜻이다.

"이게 뭔……!?"

얼음 여왕마저 베어 버린, 그야말로 온 몸의 힘을 끌어 쓰는 일격필살의 검격을 그물 따위가 버텨 내다니?

"크아아앙!"

카심이 거세게 날갯짓해 누더기가 된 얼음 그물을 찢어 낸다.

촤촤창!

그러나 그 위로 다시 한 겹의 얼음 그물이 내려앉는다.

퍽! 퍽! 쩌적!

얼음 그물이 날아오르려는 카심의 몸을 붙잡자 날아오르려던 거체가 그대로 추락한다. 카심의 비행 능력은 실로 대단하지만, 녀석은 지나치게 육중한 덩치를 가지고 있다. 한순간 속력을 잃어버리면 추락할 수밖에 없었다.

"크아앙!"

쿠콰쾅!

바닥에 떨어진 카심이 꼬리를 휘두르며 난동을 피우자 해일처럼 몰려들던 아이스 엘리멘탈들이 박살 나 흩어진다.

그러나 그렇게 시간이 끌리자.

촤라랑!

다시 얼음 그물이 떠오른다.

"아니, 이런……?"

고개를 돌려보자 수십…… 아니 백 마리도 거뜬히 넘어 보이는 엘리트급 냉기 몬스터들이 하늘로 냉기를 쏘아내고 있다. 녀석들의 움직임이 믿을 수 없을 정도로 일사분란하다.

쿵!

심지어 내 눈앞에 있던 아이스 골렘은 냉기를 다 뿜어내고 그대로 쓰러졌다.

죽을 때까지 자신의 힘을 뽑아 쓴 것이다.

"죽여라! 녀석을 짓눌러라!"

"키에엑!"

희귀급 몬스터인 설녀가 고함을 지르자 예티가 새된 고함을 지르며 달려든다.

카심은 두 날개가 얼어 완전히 옴짝달싹할 수 없는 상황이 되었다. 냉기의 수호 반지를 낀 나와 다르게 냉기 저항 능력이 없기 때문이다.

콰드득!

다시금 내공을 뽑아 일검세를 펼치자 몬스터들이 우르르 쓰러졌지만, 그래 봐야 호수에 조약돌을 던진 것과 같다.

나는 수천, 아니 어쩌면 수만 이상의 몬스터들 한가운데 있다.

"어? 이거 구도가……?"

등골이 섬뜩해질 정도로 위험천만한 상황!

그러나 다행히 방법이 있었다.

쿵!

마치 표지판처럼 생긴 지팡이가 바닥에 박힌다.

〈당신의 모든 스텟이 1랭크 하락합니다!〉

〈최상급 위압이 발동됩니다!〉

나는 내공을 움직여 보았다. 사용이 가능했다.

그러나 검기가 발현되지 않는다.

'랭크 하락인가……!'

그러나 내가 받은 타격은 주변에 있던 녀석들에 비하면 아무것도 아니다.

카가각!

서늘한 냉기를 뿌리던 얼음 그물들이 힘을 잃고 무너져 내린다. 그뿐만이 아니다. 몰려오던 아이스 엘리멘탈들이 움찔거리고 설녀가 쏘아 내던 눈보라도 끊겼다.

콰득!

물론 그 와중에도 내 움직임은 멈추지 않는다. 나는 괴력검을 휘둘러 주변으로 몰려들던 엘리트 몬스터들의 머리통을 날려 버렸다.

느닷없이 이능이 막히자 몬스터들이 당황하는 모습이 보인다.

"카심!"

"크앙!"

적들의 이능이 끊기자 카심이 날개에 달라붙어 있는 얼음을 털어 내고 상체가 땅에 닿도록 상체를 수그렸다.

나는 바닥에 박아 놓았던 지팡이를 회수한 뒤 녀석의 위에 올라탔다.

쾅!

언제나 그랬듯 난폭한 이륙!

내 마음을 읽은 것인지 카심은 맨날 하던 포효조차 생략하고 미친 듯 날갯짓했다. 뒤늦게 능력을 회복한 몬스터들이 얼음 창 같은 걸 날려 보냈지만 이미 날아오른 카심을 어쩌지는 못했다.

"헉…… 헉…… 와, 식겁했다."

하늘 높이 날아올라 신음한다. 아주 잠깐의 교전이었음에도 호흡이 꼴딱꼴딱하고 식은땀이 흐른다.

"와, 방심했다. 내가 너무 오만했구나."

산책하듯 전쟁터에 나왔다가 영문도 모른 채 죽을 뻔했다. 강습 후 신성 포효라면 일방적인 딜교 후 탈출이 가능할 것이라 봤는데 아니었다니.

"합동 기술. 몬스터 스킬에 있지도 않은 능력을……."

그러나 생각해 보면 얼음 여왕도 까마득한 고도에서 얼음 폭격을 날렸다. 게임이 현실이 되면서 몬스터들의 전략과 공격 방식이 다양해진 것이다.

슥.

집어넣자 순조롭게 인벤토리로 빨려 들어가는 검은 태양의 지팡이. 나는 다른 아이템들과 아이콘부터가 이질적인 그것을 잠시 바라보다가 이내 신경 끄고 앞으로의 전쟁에 대해 생각했다.

"일단……. 화점에 집중하자. 얼음 여왕이 다시 살아나면 골치가 아플 것 같으니."

스페셜 보스조차 없는 몬스터들에게 죽을 뻔하니 자연스레 지구에 있을 다른 게임 시스템에 관한 생각은 후순위로 밀려난다. 당연한 일이다. 그것들은 어디까지나 나중 일이 아니던가?

그러나 나는 몰랐다. 내가 영상으로 봤던 일이 전국, 전 세계.

아니.

전 우주에서 벌어지고 있다는 사실을…….

* * *

"할머니이-!"

"에구구, 우리 강아지 왔구나?"

10살 정도의 어린아이가 도도도 달려가 노인에게 안긴다. 노인은 손녀의 등과 머리를 쓰다듬어 준 뒤 고개를 들었다.

그곳엔 이런저런 선물을 잔뜩 들고 있는 사위와 딸이 서 있었다.

"안녕하십니까! 장모님!! 다시 뵙게 되어 영광입니다!"

"그래. 항상 기운차서 보기 좋군."

고개를 슬쩍 끄덕인다. 사위의 옆에 있던 딸이 웃는다.

"또 밭일하고 있었어요? 자외선 쬐면 피부 상한다니까."

"피부가 상하기는 무슨. 내 피부가 상하려면 자외선이 아니라 입자포를 맞아야지."

손사래 치며 호미를 대충 던져 둔 노인이 집 안에서 주전자를 가지고 나온다. 이미 익숙한 듯 딸과 사위는 평상에 올라가 그녀를 기다리고 있다.

그때였다.

"크아아!!"

난데없이 허공에서 검은 피부의 괴물이 모습을 드러낸다. 노인은 뚱한 얼굴로 그 모습을 바라보았다.

'제목이 뭐더라…… 무슨 로그라이크 게임에서 봤던 거 같은데.'

거기까지 생각한 뒤 주먹을 들어 올린다.

천지화랑도(天地花郎徒).

섬멸화(殲滅花).

꽃잎이 흩뿌려진다. 고함지르던 검은 거인이 마치 마네킹처럼 뻣뻣하게 굳어 버린다.

쿵!

그리고 그대로 쓰러지고.

파스스…….

이내 사라져 버린다.

"어머. 저건 뭐예요, 엄마? 훈련용?"

"아니."

"……그럼 설마 다른 사람이 장난친 거예요? 애들 위험하게!"

딸의 말에 노인은 고개를 흔들었다.

"걱정하지 마라. 생명력을 좇는 괴물들이라 혼자 노는 아이가 습격당할 일은 없을 거야. 주로 대도시 한가운데 나타날 테니 금방 퇴치당하겠지."

뜬금없이 완성자급 괴물이 나타나는 기사(奇事)에도 34지구의 피해가 0에 수렴하는 이유였다.

[아주 먼 곳]에서 던져지는 녀석들은 전략적으로 위치를 지정해 나타나지 못한다. 무조건 사람이 가장 많은 곳, 혹은 그 많은 사람과 맞먹을 정도의 강자에게만 날아가기 때문이다.

'하지만…… 다른 문명들은 상황이 다르겠지.'

완성자급. 정확히 말하자면 완성자에 준하는 9레벨 몬스터의 등장은 34지구에서 고작 해프닝에 불과하다. 신고받고 온 경찰 혼자서도 상황이 해결될 정도.

그러나 다른 행성, 다른 문명들은 어떨까?

어지간히 발달한 문명이라도 대도시에 오우거가 나타난다면 감당하기 어렵다. 도시 전체가 쑥대밭이 되고 수백 이상의 피해자가 발생할 것이다.

중화기 정도가 아니면 피해를 거의 입지 않는 괴물들은 절대 무시할 만한 존재가 아니다.

[나에게 귀속되지 않는군. 분명 게임 캐릭터인데…… 이 세상의 존재가 아니다.]

게임이라는 개념 그 자체를 소유한 게임 마스터의 전언. 노인은 인상을 찡그렸다.

'온 우주에 혼란이 도래하겠군. 남 일이라고 무시하기엔 이미 지구의 경제가 대우주와 연결되어 있으니…… 하, 수명도 얼마 안 남았는데.'

"할머니?"

근심 어린 표정을 짓고 있던 노인, 전 합참의장이자 월드 스타. 화랑단의 단장이기까지 했던 최배달은 눈초리를 휘어 부드럽게 웃었다.

"아이구~! 우리 강아지. 그래. 우리 맛있는 거 먹으러 갈까?"

손녀의 손을 잡고 딸과 사위와 함께 집으로 향한다.

일상을 깨고 일선으로 복귀할 때가 다가오고 있었다.

chapter2.

세력 확장

chapter2.
세력 확장

"버텨! 막아 내!"

"창! 찔러!"

"의무병!!"

해일처럼 몰려오는 몬스터의 파도를 성벽처럼 거대한 방패벽 밀어내며 전진한다. 방패 사이사이로 창이 튀어나오고 수천 발의 화살이 하늘을 가른다.

클래스를 가진 정예병들은 고함을 내지르고 스킬을 발동하며 적을 상대하고, 그러지 못한 신병들은 부상자를 후방으로 빼거나 소모품들을 부지런히 나른다.

그들 대부분이 1년 전만 해도 평범한 농민이었다는 사실을 믿기 힘들 정도로 체계적인 움직임이었지만, 적도 절대 만만한 이들이 아니다.

"크워어어!!"

콰앙!

아이스 골렘의 주먹질에 방패벽이 박살 난다. 그 방패를 들고 있던 방패병이 피떡이 되었음은 물론이다.

몬스터들의 돌진을 막기 위해 바닥에 박아 놓은 창들은 아이스 골렘처럼 거대한 덩치와 강도를 가진 녀석들에겐 웃음거리도 되지 않는다.

그리고 그렇게 열린 방패벽 사이로 몬스터들이 쏟아져 들어오려는 순간.

뻐엉!!

몰려들던 몬스터들이 공기를 터트리며 날아든 뼈 장검에 박살 나 무너진다.

뼈 장검 역시 무사하지 못하지만, 내가 일반 등급의 장비 따위를 걱정할 급은 아니다.

"후우……."

나는 병력의 한가운데서 전장 전체를 살피고 있었다. 전선이 길어서 앞으로 나서서 설치는 것보단 이렇게 구멍이 난 곳에 여유를 안겨 주는 편이 효율적이었기 때문이다.

방패벽에 가로막힌 몬스터들을 박살 낼 전력은, 굳이 내가 아니라도 충분하도록 있었다.

후우우웅---!!

쿠콰쾅!!

거대한 화염구와 그 뒤를 뒤따르는 수백 발의 불꽃 화살들이 냉기 몬스터 한가운데 떨어지자 충격파와 함께 후끈한 열기가 전장을 데운다.

냉기 몬스터들이 뿜어 내는 냉기 때문에 오들오들 떨고 있던 병사들이 한결 나은 표정을 짓는다.

'스마일 녀석 드디어 3클래스로군.'

게다가 엄청난 성장 속도를 가진 패스트 쓰리 학파의 마법사들 역시 매서운 기세로 그를 뒤따르고 있다. 이제 실전까지 겪고 있으니 그리 멀지 않아 3클래스에 턱걸이하게 되리라.

그리고 그들 모두가 3클래스가 된다면?

최소한의 광역 주문이라 할 수 있는 파이어 볼을 배우고 전장을 불바다로 만들게 될 것이다.

"은십자 기사단! 돌진!"

"강철방패! 다 갈아 버려라!"

폭격에 휘청거리는 빙결의 군세를 두 기사단이 폭풍처럼 가로지른다. 오러를 실은 거창 돌진은 실로 매서워 중형 몬스터도 버티지 못한다.

쿠콰쾅!!

주인과 정신이 어느 정도 연결된, 일반적인 생물과 다소 다른 감성을 가진 기승펫들이 조금의 두려움 없이 몬스터들을 걷어차며 돌진한다. 그들의 제일 앞에 있는 것은 거대한 덩치의 철갑코뿔소와 냉기를 뿜어내는 서리늑대!

그러나 몬스터들도 무력하게 당하기만 하지 않는다.

"키에엑!"

예티가 괴성과 함께 뛰어올라 말에 타고 있던 기사를 덮쳤다. 속절없이 낙마한 기사는 전력을 다해 저항했지만, 그럼에도 예티의 괴력을 이기지 못하고 머리가 뽑혀 버린다.

"죽어라!!!"

설녀의 고함과 함께 얼음창이 기사의 투구와 상체 갑주 사이로 파고든다. 냉기 수호의 반지(희귀)+6를 지닌 기사는 그 안에 담긴 냉기를 버텨 냈지만, 이미 목에는 구멍이 뻥 뚫려 피가 쏟아지고 있다.

"……."

부대의 한가운데에서 그 광경을 본다. 전쟁터에서 수많은 사람이 죽고 있었다.

수많은 일반병들.

클래스 카드를 지원받은 정예병.

극히 드물게 나타나는 재능을 가지고 34지구의 심법을 교육받은 기사들까지.

죽는다. 모두가 평등하게 죽어 나간다.

"후."

한 번의 심호흡으로 그 모든 죽음을 떨쳐 내고 뼈 장검을 잡아든다.

빠엉!

길이 뚫린다. 우리가 입은 피해는 실로 어마어마했지만, 그것들은 결코 무의미한 피해가 아니다.

"병력 충원이 멈췄습니다!"

"좋아! 도시로 진입한다."

"충!!"

바글바글하던 몬스터들의 수가 현저하게 줄어 있다. 녀석들이 죽어 나가는 속도를 리젠 속도가 따라잡지 못한다는 뜻이다.

다른 성에서 지원을 왔던 몬스터들은 더욱 사정이 안 좋다. 다시 100km를 달려와야 하니 한동안 합류를 걱정할 필요가 없으리라.

"키에엑!"

"감히 우리 영역에 들어오다니!!"

전투가 시가전으로 변하자 피해가 속출하기 시작한다. 건물 사이사이 숨어 있던 희귀급 몬스터들이 온갖 방해물로 방패진을 유지 못하는 병사들을 덮치기 시작한 것!

그러나 우리에게는 유격전의 제왕이자 참호전의 절망. 시가전의 사신이라 불리는 존재.

소드마스터가 있었다.

찰나결(刹那訣) 제2식.

쾌검세(快劍勢).

벽과 지붕을 타고 벼락처럼 내달리는 헤이즈의 주위로 희끗희끗한 검광이 번뜩인다. 모습을 드러냈던 희귀급 몬스터들이 제대로 저항도 못하고 썰려 가는 모습이 보인다.

"헤이즈 님! 헤이즈 님이다!"

"누나! 사랑해요!"

"뭐!? 저분이 누나라고?"

"결투 기사님도 모르냐? 마흔이 넘었지! 그래서 더 좋아!"

"아! 너무 아름다우십니다, 누님!!"

도시 골목골목마다 병사들의 환호성 소리가 터져 나온다. 처음에는 크롬 왕국의 사신으로 왔다는 사실 때문에 백안시당하던 헤이즈는 나와 가까이 지내는 모습과 전장에서의 활약으로 엄청난 인기를 끌고 있었다.

하기야 전장에서 소드마스터가 자기편을 해 주겠다는데 개인적인 호오 따위가 어디 있겠는가? 철천지원수라도 열광해야 할 판인데 그 대상이 아름답기까지 하거늘.

나는 적들의 방어가 무너지고 병사들이 도시를 장악하는 모습을 보며 부관에게 말했다.

"이대로 포위하고 간이벽 건설을 준비해."

"충!"

우선순위에서 밀려 채팅 목록에 없는 후방의 병사들에게 명령이 전달된다.

"성벽을 장악하고 자재를 옮겨라! 골목마다 진지를 구축한다!"

"부족한 자재는 근처 건물에서 뜯어 와!"

크롬 왕국의 수도 지마일에 진입한 병사들이 바쁘게 움직인다. 직접 적과 맞서 싸우던 정예병들은 곳곳에 흩어져 휴식을 취하거나 의무병들에게 치료를 받고 대부분 전투 보조로만 활동했던 일반병들이 부지런히 전해를 정리하고 공사를 시작한다.

뚱! 땅! 깡깡!

"으! 춥다! 너무 추워!"

"지마일이 이렇게 춥다니……."

"악! 손! 손! 손!"

"으아, 넘어간다!"

가만히 지켜보니 개판이 따로 없다. 망치질하다 손가락을 찍어 버리는 녀석. 정신없이 자재를 나르다 넘어져 대가리가 깨지는 녀석. 겁에 질린 듯 구석에 쭈그려 덜덜 떨고 있는 녀석들까지.

내 군대의 의무병들은 외과 수술 기술에 힐링 능력까지 갖춘 데다 잡화 상점을 열면서 힐링 포션을 잔뜩 보급했기에 그런 부상들이 큰 문제는 되지 않았지만, 장비들을 나르다 손가락이 잘려 나가고 건물 자재에 깔려 사경을 헤매는 녀석들을 보니 정말 가관이다.

'그래도 사람은 많은 게 낫다. 어떻게든 써먹을 수 있

고…… 이것조차 다 경험이야.'

일반적인 군대에서는 있을 수 없는 일이다. 칼받이, 화살받이로 소모하는 것도 아니고 이런 잡병들을 다 안고 가는 것은 보급품을 낭비하는 일이기 때문.

그러나…… 지금 이 순간에도 와일드 보어 성의 던전에서 무진장의 멧돼지 뒷다리와 가죽을 보급받고 있는 우리 군의 사정은 다르다. 병력이 아무리 많아도 감당할 수 있었다.

'사람이 문제야. 더 많은 사람이 필요하다.'

많은 인재는 오로지 더 넓은 인력풀에서만 수급이 가능하다. 솔직한 마음으로 말하자면 클래스 카드를 닥치고 뿌리고 싶은 심정.

하지만 그럴 수는 없다.

클래스 카드를 그냥 받으면, 물론 감사야 하겠지만 그 의미가 크게 퇴색한다. 병사들이 그만한 수준의 공과 경험을 쌓고 그 대가로 주어질 때, 비로소 그 능력과 힘이 명예의 증거가 되는 것이다.

'그래. 이제 시작이니까.'

화점은 물론 특별한 영역이고 중요한 위치지만, 그래봤자 고렙존이라고 할 수는 없다.

바둑판의 중심부 인근.

필드에서 전설급 몬스터가 돌아다니는 마경이 존재한다는 것을 생각하면 내 병사들이 가야 할 길이 멀다. 더욱 숫자를 늘리고, 또 더욱 단련해야 한다.

"쏴라!! 대가리를 들이밀 생각도 못하게 해!!"

"경험치를 날로 벌 기회야! 제대로 노려서 쏴라!"

"쭉쭉, 오른다! 쭉쭉! 이러다 35레벨도 찍겠다!"

"아, 우리 탱커 병상에 누워서 레벨 업 하신다! 나중에 나한테 술 한잔 안 사기만 해 봐!"

콰콰광!

파파박!

빛의 기둥 옆에 진지를 만들어 대기하고 있던 궁수와 마법사들은 몬스터가 나올 때마다 소나기 같은 공격을 쏟아 내 녀석들을 물리쳤다.

간혹 빛의 기둥에서 몬스터 대신 원거리 공격이 날아오기도 했지만.

펑!

촤악!

고레벨 궁수의 요격에 빛의 기둥에서 튀어나왔던 냉기 구슬이 터져 애꿎은 공터만 꽁꽁 얼린다.

'민첩 스텟을 높인 궁수들의 반응 속도는 과거의 그들과 비교조차 할 수 없는 수준이지.'

다수의 궁수가 눈을 시퍼렇게 뜨고 있는 이상 빛의 기둥 안에서 공격하는 건 불가능하다. 애초에 우리가 만든 진지들이 빛의 기둥에서 100미터가 넘는 안전거리를 유지하고 있으니 더욱 그렇다.

“야영한다! 각 분대 분대장들은 백인대장의 지시하에 움직여라!”

분대의 개념을 새로이 재조정했다. 십인장이라는 개념을 없애고 파티 하나의 최대 숫자인 다섯 명을 기준으로 분대를 짠 것이다.

백인대장이 일종의 소대장이고 소대장 하나가 분대 20개를 거느리는 방식이다. 병사들이 다섯 명씩 던전을 돌며 손발을 맞추는 것에 익숙해진 현실에 맞춘 편제였다.

“으! 추워! 너무 춥다! 모포 좀 더 줘!”

“망할 몬스터 놈들! 죽으면서도 냉기를 뿜으니!”

“찰스! 여기 불 피워 줘!”

“마법사님이라고 해 봐.”

“아, 플레임 배웠다고 유세가 어마어마하구만! 나도 파워 스트라이크 배웠거든?”

“그걸로 불 피울 수 있으면 피우든가.”

부대는 비교적 자유로운 분위기다. 싸울 때는 엄격한 군기를 지키지만, 그 외에는 아니다. 내가 필요한 건 전투력이지 겉멋 따위가 아니었으니까.

‘일반 스킬과 고급 스킬의 효과가 기대 이상이다.’

그 증거로 고급과 희귀급이 바글바글하던 적들을 상대로도 큰 피해 없이 전쟁에서 이길 수 있었다.

고작 일반과 고급 등급의 스킬이지만 그것이 있냐 없냐는 엄청난 차이.

'가능하다.'

나는 아직 무사한 건물들에 들어간 야영을 준비하는 병사들을 보며 생각했다.

내일, 우리는 화점을 정복할 것이다.

12시간의 휴식 후 도열을 시작한다.

너무 오래 쉴 수는 없었다. 24시간이 지나면 우리가 힘들게 쓸어버린 고급 등급의 몬스터들이 리젠되기 때문이다.

"무장 상태를 점검해라! 소모품들을 꼼꼼히 살펴보고! 각 분대장은 분대원들 상태 확인해서 보고해!"

빛의 기둥 주위로 병사들이 모여 있다. 당연하지만 전원이 정예병. 전투력도 전투력이지만, 그보다는 더 심각한 문제 때문이다.

'추위.'

아이스 엘리멘탈의 지속적인 공격을 받던 오크 요새조차 엄청나게 추웠다. 일종의 닫힌 공간인 던전에 지속적으로 냉기가 투입되면서 나타난 현상.

오크 요새가 그 지경이었는데 빙결 몬스터들의 본거지 상황은 어떠하겠는가?

'자동 사냥을 부지런히 돌리고 현금까지 썼는데도…… 고작 2,000개인가.'

원래도 300다이아. 현금으로 3만 원이나 되던 냉기의 수호 반지는 내가 천 개 넘게 사들이자 5만 원대로 가격이 올랐다. 예전 귀환 주문서가 그랬듯 미친 듯 거품이 끼는 수준은 아니라도 점점 구매가 부담이 될 수밖에 없다.

'마음 같아서는 냉기의 수호 반지를 모든 병사에게 배부하고 싶지만…….'

알고 있다. 냉기의 수호 반지를 배부하지 못하는 만큼 병사들의 사망률이 더 높아지리라는 것을.

물론 나도 반지를 맞춰 주지 못한 이들에게는 두꺼운 방한복과 보온 마법이 걸린 내복을 분배해 주는 등 최선을 다했지만.

'한계가 있어.'

아르데니아의 마법사들은 그 수준이 명확하고 주문력에도 한계가 있다. 이런저런 대비를 했다 하지만 결국 던전 안의 냉기에 엄청난 피해가 발생할 수밖에 없는 것.

그러나 알고 있음에도, 더는 거래소에 돈을 쏟아부을 수가 없다.

'돈이 모자라…….'

소설 사이트에서의 후원과 배우 개런티로 과거와 비교조차 할 수 없을 정도의 돈을 벌어들이고 있지만, 그럼에도 한참 모자라다.

"충! 보고자 외 1만 1,301명 준비 완료되었습니다!"

가만히 서 있는 내게 스틸스톤이 다가와 보고한다. 나는 병사들을 둘러보았다.

강철 방패 기사단 124명, 은십자 기사단 88명, 불꽃 마법 병단 42명.

그리고 피해가 너무 커 빠진 9개를 뺀 21개의 천인대.

'부상자를 빼고 나니 1만인가. 피해가 크긴 크군.'

그러나 돌아보면 엄청난 전력이다. 심지어 여기에 모인 이들은 정예 중에서도 고참급에 기사와 마법사들까지 자리하고 있는 상태.

내가 동원할 수 있는 총력이라 해도 부족함이 없다.

"쉬어."

"쉬어!"

앞으로 나선다. 두꺼운 가죽으로 온몸을 꽁꽁 싸매고 있어 얼굴도 제대로 안 보이는 병사들이 눈만 반짝이며 나를 응시한다.

나는 말했다.

"솔직히 혼자 들어가고 싶다."

병사들 하나하나와 눈을 마주친다. 난데없는 말에도 1만 명의 정예병들은 부스럭 소리도 없이 내 말을 경청하고 있다.

"혼자 들어가서 적들의 대가리를 쪼갤 수 있다면 그렇게 하고 싶어. 그럴 수만 있다면 전장에서 너희가 죽는 꼴을 안 봐도 되겠지."

가끔은 죄책감이 들 때도 있다. 굳이 이렇게 성들을 점령하고 다닐 필요가 있을까? 괜히 내 욕심 때문에 멀쩡한 사람들을 전장으로 내보는 것은 아닐까?

그러나 그렇게 생각하면서도……. 결국 나는 이들을 동원했다.

"하지만 그럴 수가 없다. 나는 꽤 많은 일을 할 수 있지만 그렇다고 신은 아니야."

천천히 걸어 빛의 기둥 앞에 선다. 벌써 몇 시간째 던전에서는 몬스터가 등장하지 않고 있다. 나가는 족족 죽어 나가니 차라리 방비를 튼튼히 하기로 한 모양이었다.

그런 모습에 겁을 먹었다고 비웃기보다 걱정이 된다.

엄청난 피해가 있으리라는 사실을 알기 때문이다.

"나 혼자 하고 싶다. 너희가 죽는 모습을 보고 싶지 않아. 하지만……."

몸을 돌린다. 수많은 병사가 나를 보고 있었다.

한숨 쉬듯 말했다.

"너희가 필요하다."

"……!"

내 말에 빽빽이 도열해 있던 병사들이 마치 물결치듯 술렁거린다. 뭔지 알아들을 수 없는 신음을 내고 몸을 꿈틀거린다.

그리고 어느 순간.

척! 척! 척!

누군가가 발을 구르자 마치 약속이라도 한 것처럼 모두가 그 박자에 맞춰 발을 구른다.

쿵! 쿵! 쿵!

작디작았던 발소리가 점점 커져 지축을 울리는 소리가 되었다.

나는 병사들을 보았다.

그들도 나를 보고 있다.

반짝이는 눈, 바닥을 구르는 발, 일렁이는 투기.

나는 소리쳤다.

"나를 지켜 줄 수 있겠나!"

"네!"

고함이 터져 나온다. 병사들이 미친 듯 소리치고 땅이 꺼지라고 발을 구른다.

"나를 위해 죽어 줄 수 있겠나!"

"네!"

"제가! 제가 가장 먼저 죽겠습니다!"

"맡겨만 주십시오!"

내 물음에 천둥이 터져 나오는 듯 고함과 함성이 쏟아진다.

나는 몸을 돌렸다.

"그렇다면!"

척!

순간 발소리가 일시에 사라진다.

나를 바라보는 수많은 눈동자가 느껴진다.

"가자."

그 말을 마지막으로 던전에 진입한다.

[얼음 여왕의 낙원]

순간 북극이나 남극으로 온 줄 알았다.

오직 눈과 얼음으로 가득한 백색의 공간.

픽!

땅에 내려서자마자 어떤 파동이 내 몸에 와닿는 게 느껴진다. 고개를 돌려보니, 백색으로 가득한 거대한 설산에 마치 바둑판의 돌처럼 몬스터들이 흩뿌려져 있는 모습이 보인다.

내 몸에 와닿는 파동이 뭔지는 바로 알 수 있었다.

"인간이 나타났다!"

족히 수백 미터는 떨어진 거리에서 설녀가 비명을 터트리는 모습을 보고 깨닫는다.

'은신이 불가능하겠구나.'

등줄기가 섬뜩하다. 또 암살하겠다고 은신하고 들어왔다면 시작하자마자 들켜서 몰이사냥을 당했을 것이다.

아무리 현실에서 체력과 부상을 회복시킬 수 있더라도…… 만 단위가 넘는 적과 그렇게 싸웠다간 죽음을 피할 수 없었을 것이다.

"크아아아!"

"휘이이!"

사방에서 몬스터들이 몰려들기 시작한다. 나 역시 적들을 향해 달려들었다.

[치명타!]
[치명타!]
[치명타!]

몰려드는 아이스 엘리멘탈의 코어를 닥치는 대로 깨 버리자 크리티컬 판정과 함께 쾌검신(快劍身) 스택이 쌓인다.

크리티컬 1회당 근력, 체력, 생명력, 민첩 +5 버프가 쌓이는 고수의 간합와 달리 쾌검신 버프는 오로지 공격 속도만을 강화한다.

스택당 10% 최대 20스택.

점창검마의 직업 버프가 공격 속도 50%라는 걸 생각하면 최종적으로 공격 속도가 250%까지 강화된다.

푸확!

공격 속도에 가속이 붙자 검을 휘두를 때마다 공기가 터져 나간다. 게임에서야 1초에 한 번 때리냐 2번 때리냐의 차이지만…… 현실에서 공격 속도는 그리 단순한 의미가 아니다.

푸확! 쩌엉!

검력 자체가 강해진다. 속도가 두 배 이상 빨라졌으니 당연한 일. 거기에 공격에서 방어로 방어에서 공격으로 전환하는 속도가 빨라지니 빈틈이 거의 사라져 버린다.

콰득! 쾅! 쩌억!

나는 미친 듯이 주변의 적을 베어 내며 사방을 살폈다. 그러나 던전의 넓이가 꽤 넓은지라 목표물의 모습이 확인되지 않는다.

'보스는 어떤 녀석이지?'

가장 좋은 경우의 수는 아직 얼음 여왕이 리젠되지 않아 적당한 희귀급이 보스로 지정되는 것이다.

'마치 이 직전의 착점에서 그랬던 것처럼.'

만일 그렇게 된다면 어떻게든 틈을 봐서 보스 암살을 노려볼 수 있다. 1만의 정예병을 데리고 연설까지 한 내 입장이 좀 우스워질 뿐 가장 완벽한 상황이겠지.

그러나 아쉽게도.

"감히! 여기가 어디라고!"

그런 일은 일어나지 않았다.

빙결의 설녀(영웅)

리사

찢어지는 듯한 고성과 함께 눈보라에 휘감긴 여인이 모습을 드러낸다. 나는 즉시 땅을 박차고 날아올랐다.

뿌득. 뿌드득!

온몸을 뒤튼다. 근육을 쥐어짜 내자 거대한 밧줄이 뒤

틀리는 듯 묵직한 소음이 났다.

그리고 한계까지 뒤틀린 근육이 해방되는 순간.

뻐엉!

공기가 터져 나가는 소리와 함께 뼈 장검이 빛살처럼 날아간다. 내공까지 주입된 뼈 장검은 투척 무기의 한계치를 아득히 넘어섰다.

콰쾅!

"역시 영웅급한테는 안 되나……."

몰아친 눈보라에 목표물을 맞히지 못한 뼈 장검이 애꿎은 바닥만 부수는 모습을 보았다.

"우워어어!"

괴성이 들린다. 인딕 너머에서 새로운 녀석이 모습을 드러낸다.

예티 격투가(영웅)

투투

"아니, 뭐야…… 보스가 둘?"

설녀도 예티도 아이디가 두드러지는 효과가 걸려 있다. 단순한 엘리트급이 아닌 보스 몬스터라는 뜻.

쿵! 쿵! 쿵!

반대편에서 새로운 몬스터가 모습을 드러낸다.

아이스 머신(영웅)

P-422

다른 아이스 골렘보다 2배는 큰 덩치에 상당히 복잡한 외형의 골렘이다.

만화 영화에서 나오는 로봇 같은 모양새.

'보스가 셉.'

내가 생각한 최악은 얼음 여왕이 밖으로는 못 나와도 이 안에서는 리젠되어 있는 상황이었다. 다른 장소와 달리 이곳은 화점이니 그럴 수도 있다고 생각했다.

그리고 지금은 그 정도는 아니더라도…… 그리 좋지 않다.

"접근하지 마! 멀리서 몰아쳐라!"

"움직임을 묶어!"

냉기 몬스터 중 가장 지능적인 설녀들의 지휘하에 사방에서 냉기가 쏟아진다. 9강까지 강화한 냉기의 수호 반지가 가진 효과로 냉기 데미지가 90%나 감소했지만 그렇다고 내 앞을 가로막는 눈더미나 얼음벽을 무시할 수 있는 것은 아니다.

쾅쾅! 콰득!

괴력으로 얼음들을 부수며 전진하려 했지만, 그보다 훨씬 많은 공격이 내 위로 쏟아진다. 어느새 모여든 천 단위의 몬스터. 그리고 저 멀리에서 열심히 달려오고 있는 보스 몬스터들!

그러나 나도 혼자는 아니었다.

팟! 팟! 팟!

여기저기서 대형 방패를 든 방패병과 한 손 검과 방패를 든 검방병들이 나타난다. 가장 튼튼한 방어력을 가진 이들이 먼저 돌입해 주변 몬스터를 방패로 쳐 내며 공간을 만들었다.

팟! 팟! 팟!

이어서 창병과 궁병들이 나타난다. 그들의 등장 위치는 랜덤이었지만, 쏟아지는 숫자가 수천 단위였기에 금세 가까운 병사들끼리 뭉쳐 전투를 시작한다.

"연습한 대로 움직여! 5명이 안 되면 4명 3명이서라도 진형을 짜서 싸워라!"

"튀어 나가지 마!"

평소 정예병들은 던전을 도는 게 일. 대단위 전투보다 차라리 이런 난전에 더 익숙하다.

그그극! 깍!

그때 아이스 머신이 자세를 낮추는 모습을 보인다. 이내 녀석의 두꺼운 어깨가 열리고…….

투두두두두!

얼음 탄환이 쏟아져 병사들을 후려친다.

"크아악!"

"막아! 자세를 낮춰!"

튀어 오른 피가 얼어붙어 바닥에 쏟아진다. 그 모습에 이가 갈렸지만 쏟아지는 공격을 막아 내기도 바쁜 내가 뭔가를 할 수는 없는 상황.

팟팟팟!

다행히 기사들도 넘어오기 시작한다.

"내가 정면!"

방패를 든 스틸스톤이 아이스 머신의 앞을 가로막는다. 그리고 저 멀리서 달려온 헌드레드가 검을 휘두른다.

[크아앙!]

천룡음과 함께 탄환을 쏘아내던 아이스 머신의 몸이 휘청거린다. 그리고 거기에.

"그리스(grease)!"

스마일의 주문과 함께 휘청거리던 아이스 머신이 거세게 넘어진다. 함께 던전을 돌았던 경험 덕인지 제법 매끄러운 연계.

그러나…… 영웅급 몬스터가 넘어졌다고 죽을 리가 없다.

콰쾅!

"큭!"

"윽!"

아이스 골렘이 팽이처럼 회전해 추가타를 날리려던 두 기사를 떨쳐 낸다. 아무리 심법을 사용하는 기사라 해도 5미터에 가까운 얼음덩어리가 휘두르는 다리에 얻어맞으면 타격이 크다.

'오래는 못 버틴다.'

스틸스톤과 헌드레드 그리고 스마일은 내 수하 중 최고의 전투 능력을 갖추고 있지만, 아직 영웅급 몬스터를 잡기에는 부족하다. 하물며 상대는 보스 몬스터가 아닌가?

"하아압!"

촤좌좡!

눈보라에 얼음창을 섞어 쏘아 내던 설녀는 헤이즈가 상대하고 있다. 위태로운 기사들과 달리 그녀는 대등한 전투를 이어 가고 있지만, 아무래도 금방 끝날 싸움이 아니다.

결국 내가 전투의 활로를 뚫어야 한다.

'서두르자.'

나는 아이스 머신을 먼저 정리하기 위해 땅을 박찼다.

"크아아아!"

새하얀 털의 예티 격투가가 내 앞을 막아선다. 그저 야성만 가득하던 다른 예티와는 몸놀림부터가 다른 보스 몬스터!

그러나 내 상대는 아니다.

찰나결(刹那訣) 제1식.

일검세(一劍勢).

사실 이런 난전에서 일검세는 좋은 선택이 아니다. 한 호흡으로 끌어올린 진기를 단 일검에 쏟아 내는 일검세는 사용자의 내공은 물론이고 체력과 정신력을 무지막지하게 소모하기 때문이다. 500%의 힘을 소모해 300%의 위력을 발휘하니 굳이 말하자면 효율이 떨어지는 기술이었다.

'말하자면 필살기지.'

단번에 적을 절단 내지 못하면 내가 죽는 기술!

'그러나 나한테는 아니지!'

예티가 일검세를 방어해 냈다. 기이할 정도로 두터운 양팔의 털이 검기를 막아 낸 것. 나는 즉시 속삭였다.

"로그아웃."

숙소로 돌아온다. 나는 침대에 누워 호흡을 골랐다.

그렇게 30분 정도 쉰 뒤.

"로그인."

찰나결(刹那訣) 제1식.

일검세(一劍勢).

쩍!

두 번째 일검세를 펼치자 예티 격투가의 오른팔이 견디지 못하고 끊어진다.

퍼퍽! 콰! 쩍!

그러나 그렇게 공격을 날리는 사이 사방에서 온갖 공격이 내 몸을 후려친다. 심지어 개중 몇 개는 내가 입고 있는 전신 갑주를 뚫고 옆구리에 박혔다.

'망할 엘리트 몬스터……!'

그러나 한눈을 팔 상황이 아니다. 나는 그냥 공격을 얻어맞으며 자세를 취했다.

"로그아웃!"

다시 숙소로 돌아온다.

푸슛!

옆구리에서 피가 솟구친다. 나는 외복사근을 조여 출혈을 막은 뒤 미리 챙겨 왔던 붕대를 옆구리에 감았다.

하루 이틀 하는 일이 아니기에 능숙하다.

"아르데니아. 거문(巨門). 개방(開放)."

무공이 다른 요소를 다 잡아먹는 바람에 거의 봉인 상태나 다름없는 차크라 기술 중 유일하게 무사한 능력을 사용한다.

"소환(召喚). 오색 송편."

팟!

송편 한 접시가 나타난다. 나는 즉시 그것을 씹어 먹었다.

[오색 송편(희귀)을 섭취하였습니다! 4시간 동안 회복력과 마나 회복력이 200포인트 증가합니다! 특수 자원

회복력이 3배 증가합니다!]

버프를 받은 상태로 쉰다. 찔끔찔끔 새어 나오던 출혈이 점점 가라앉는다.

그리고 충분히 휴식을 취한 후.

"로그인."

찰나결(刹那訣) 제1식.

일검세(一劍勢).

"크륵…… 컥!"

일격필살의 검격이 연속으로 쏟아지자 결국 방어가 뚫린 예티 격투가의 머리가 떨어진다.

빠벅! 빡!

"아 진짜 이것들이!"

콰드득!

사방으로 검기를 뿜어 달려들던 모든 적을 썰어 버린다. 원래는 훨씬 쉬웠어야 할 전투인데 사방에서 쏟아지는 방해 때문에 피해가 엄청나다.

서걱!

"윽!"

부서진 갑주의 틈 사이로 휘둘러진 얼음검이 상완이두근을 반이나 자르고 지나간다. 전투 예지도 소용이 없다.

사방팔방에서 쏟아지는 공격에, 몇 개의 공격은 허용할 수밖에 없었다.

"로그아웃!"

다시 숙소로 돌아온다. 근육을 수축해 출혈을 막고 붕대를 감았다.

"아, 근력 말고 생명력을 올릴 걸 그랬나? 맞기만 하면 살점이 썰려 나가네……."

이럴까 봐 전신 갑옷을 입었는데 사방에서 공격이 쏟아지니 버티질 못한다. 갑옷의 내구도가 0이 될 때까지 방어력이 떨어지지 않는 게임과 다르게 현실에서는 갑옷에 구멍이 나고 찢어지기도 하기 때문이다.

"아, 이번엔 좀 더 길게 쉬었다가……."

극도의 피로에 한숨 쉴 때였다. 흥겨운 음악 소리와 함께 내부 방송이 켜진다.

[딩동~ 댕동~ 출근 시간이에요~ 배우와 스태프들은 어서~ 촬영장으로 와 주세요~!]

"……."

흥겨운 음악과는 반대로 끔찍한 기분이 들었다.

"아……."

잠시. 한 10분 정도 멍하니 있었다. 난생처음 느껴 보는 어떤 감정이 불쑥 치고 올라온다.

"출근하기…… 싫은데?"

방금까지 전쟁터에서 죽어라 싸우느라 온몸이 상처투성이다. 몸에 힘이 하나도 없고 어질어질한데 가서 일해야 한다 그 말인가?

그러나 그렇게 한탄하는 와중에도 시간이 간다.

그리고 어느 순간, 도저히 미룰 수 없는 타이밍이 왔다.

"이……! 거지같은!"

이를 박박 갈며 침대에서 일어난다. 옷과 붕대를 내던지고 개인 샤워실에 들어가 몸을 씻는다.

"사람 나고 돈 났지 돈 나고 사람 났냐!"

머리를 말린 뒤 로션을 얼굴에 쳐 바른다.

"이 상황에! 출근을 하는 게! 말이 되느냐 말이야! 나한텐 휴식이 필요해!"

양복을 꺼내 입고 구두를 신었다.

딸깍.

개인실 문을 열고 나온다. 여기저기에서 스태프와 배우들이 촬영장으로 가는 모습이 보인다. 푹 쉰 것인지 상쾌한 얼굴도 있지만 빠듯한 일정 때문인지 퀭한 얼굴들이 대부분.

"시바……."

자동으로 나오는 욕을 꿀꺽 삼키고.

나는 출근했다.

chapter3.

황제

chapter3.
황제

촬영이 막바지에 이르렀다.

사건이 클라이맥스에 다다르고, 던져졌던 복선이 회수된다. 캐릭터들의 감정선이 얽히고 갈등이 폭발했다.

영화 초반에는 악역3 정도의 비중을 가지고 있었던 도검이 어느새 조연을 넘어 주연 자리를 넘보는 수준에 이르렀다. 주인공 원맨쇼의 액션 추리물에 가까웠던 분위기는 극도로 강화된 액션에 로맨스까지 더해져 완전히 다른 분위기가 되었다.

“자자, 재연 씨! 상의 찢고 갈게요!”

앨런 감독의 말에 손을 든다.

“저기 감독님.”

“음? 뭡니까?”

"제가 상의 탈의를 너무 자주 하는 거 같은데……."

상의 탈의 씬이 벌써 7번째다. 무슨 사건만 터지면 옷이 찢어지는 수준. 그리고 내 의문에 앨런이 답했다.

"재연 씨. 오른쪽 좀 봐 봐."

"……?"

그의 말에 고개를 돌린다. 촬영장 한쪽에서 자신의 연기를 모니터링하고 있는 성재의 모습이 보인다.

'그림이군.'

단순히 이목구비의 문제가 아니라 비율, 스타일, 피부 모두가 완벽하다. 인상을 쓰면 사나운 남성미가 느껴지고 웃으면 소년 같은 천진함이 드러나는 절세미남.

앨런이 말했다.

"알겠지?"

"뭘 말입니까?"

"얼굴로는 안 돼."

"……."

황당해하는 나에게 앨런이 말한다.

"찢어."

"……."

결국, 나는 상의를 찢었다.

"오오……."

"와. 봐도 봐도 끝내준다. 대체 운동을 얼마나 하는 거지?"

"엄청 부푼 근육도 아닌데 저렇게 선명하다니……."

"저 몸이 생체력 수련자가 아니라니 미쳤다 진짜."

스태프들의 웅성거림이 들렸지만 무시하고 연기를 이어 나간다.

쾅!

떨어지는 파편을 주먹으로 쳐 낸다. 원래는 드림워커의 마법사들이 이런저런 처리를 해 줘야 하지만 내가 기가스를 던져 버릴 괴력의 소유자라는 사실을 아는 앨런 감독은 그냥 실제로 때리고 부수고 던지는 액션 수행을 요구했다.

"흡!"

불타는 우주선 안을 달린다. 정말 우주선은 아니고 드림워커 학과의 마법사들이 우주 관련 꿈들을 보아 만든 세트장.

복도를 질주하는 내 등에는 스칼렛이 업혀 있다.

"미안해……."

"헛소리하지 말고 정신 차려! 미련한 것! 머저리 같은 것! 네가 이런다고 누구 하나 알아주는 사람이 있을 것 같아!?"

"제가 알고……."

촉촉하게 젖은 목소리로 스칼렛이 말한다.

"당신이 알겠지요."

"미친…… 미친, 미친! 멍청한 멍청한 멍청한!"

"컷! 좋아 다음!"

앨런의 말에 스칼렛을 내려놓는다.

앨런은 이미 다른 스태프들을 보며 소리 지르고 있었다.

“빨리 스턴트하고 용병 역할들 오라고 해! 임시 세트니 시간 없어! 야! 거기! 걷지 말고 뛰어!”

바쁘게 움직이는 스태프의 모습을 보고 있는데 문득 스칼렛이 말을 걸었다.

“재연 씨.”

처음엔 나를 많이 어려워하던 그녀였지만 촬영을 함께 하며 거리감이 많이 사라졌다. 벌써 몇 번이나 싸우고, 안고, 심지어 키스씬까지 있었으니 당연한 일이다.

“네, 스칼렛.”

“아이, 참! 이제 혜영이라고 부르라니까요! 언제까지 망한 아이돌 가명으로 부를 거예요?”

“아, 그 이름이 익숙해서…… 더 신경 쓰죠.”

“네. 아 그리고 이건 좀 늦은 질문이긴 한데.”

스칼렛, 아니 혜영이 넝마가 된 옷들을 벗고 그 위에 검은색의 약식 한복을 걸치며 묻는다.

“재연 씨는 연기 경험이 있는 거죠?”

“그럴 리가요. 이쪽에는 관심도 없었는데.”

내 연기가 능숙해 보인다면 그건 그저 어느 날 중세 랜드에 던져져 지금까지와는 전혀 다른 역할을 수행해 온 경험이 쌓였기 때문이리라.

거짓말이 금기시되는 34지구와 달리 아르데니아는 내 모든 게 거짓. 자신조차 속이지 못하면 살아남을 수가 없다.

"재연 씨는…… 진짜 대단해요. 연기도 잘하시고 이렇게 많은 스태프와 카메라 앞에서 떨지도 않고. 전 아직도 카메라 앞에 서면 긴장되거든요."

"뭐, 스태프가 날 죽이진 않을 테니까요."

아무리 많은 사람이 날 봐 봤자 나를 혐오하던 귀족 무리, 증오와 질투를 불사르던 기사, 탐욕에 쩔어 눈치만 살피는 용병놈들에 비하면 귀엽기 짝이 없다.

심지어 이제는 만 단위의 병력을 지휘하는 상황인데 고작 이 정도 시선에 긴장한다는 건 있을 수 없는 일이다.

"후후. 뭔가 재연 씨다운 말이네요. 사실 좀 걱정했는데 이렇게 잘해 주실 줄이야."

그녀의 말대로 난 이 일을 처음부터 능숙하게 해 낸 편이다. NG도 거의 없었고 암기력도 좋아 대본도 두어 번 보면 다 외우는 편.

"컷!"

그러나 나도 모든 연기를 잘 소화하는 건 아니었다.

"컷! 재연 씨, 좀 더 자부심을 담아서 웅변하듯이! 도검이 황제로서의 자신을 자각하는 장면이잖아요. 고귀한 피. 노블 블러드로서 사람들을 이끈다는 느낌으로!"

앨런의 말에 나도 모르게 항변한다.

"하지만 감독님. 이건, 아무리 그래도 너무 말이 안 되는데요. 도검은 34지구에서 살다가 범죄에 얽혀 우주 해적이 되지 않았습니까? 이미 대우주의 생리를 다 알 테고 34지구의 시민이자 우주 해적으로서의 정체성을 가지고 있을 텐데 고작 수천 명 이끌게 되었다고 자신을 황제라고 자각한다는 건……."

앨런은, 어르신까지 모시는 34지구 원주민이라 그런지 이방인의 인식을 전혀 이해하지 못하고 있다.

황족으로서의 자긍심이라니? 스스로를 황제라고 자각하다니?

자신의 문명이 멸망한 다음 고만고만한 문명에 머물렀다면 모르지만 34지구처럼 대우주에서도 이름 높은 세계에 와서 그런 감성을 유지한다는 건 지금의 처지를 받아들이지 못하는 등신들에게나 가능한 일이다.

'황제 클래스도 아니고 말이지.'

극도로 발달된 문명들 속에서도 황제라 불리는 이들이 있긴 하다.

초월의 경지를 넘고 다시 넘어섬으로써 문명의 힘을 넘어선 초월적인 존재.

홀몸으로 우주 함대를 깨부수고 항성조차 파괴하는 게 가능한 괴물

중급 초월자. 중급 신.

마법 경지로 치면 10클래스. 무공으로 치면 자연경이나 신화경이라 불리는 경지.

'진짜 황제들.'

홀로 문명을 흥하게도, 망하게도 할 수 있는 초월자는 아무리 발전된 문명이라 한들 우러름을 받을 수밖에 없다.

당장 34지구가 속해 있는 [레온하르트 제국] 역시 중급 초월자인 레온하르트 황제가 세운 국가가 아니던가? 물론 34지구에 대우주에서도 완전히 예외적인 존재. 게임마스터(최상급 신)가 자리 잡게 되면서 일반적인 제국과는 완전히 다른 형태가 되긴 했지만 말이다.

"아니, 물론 대우주 시점에서 보면 이야기가 다르겠지만 꼭 그런 사람들만 황제란 이름을 다는 건 아니잖아요? 막말로 이가 사람들도 자기 가주를 대한제국의 여황이라 부르니까요."

"……."

황제를 무슨 기업 회장이나 명예직 같은 거로 인식해야 나올 수 있는 발언에 머리가 아파져 왔다.

황제란 군주 중의 군주. 하늘 아래 유일무이한 권위와 지위를 가진 존재다.

개구리가 우물을 나와 그들의 황제가 하찮고 미미한 것으로 변하는 그 순간, 황제란 지위는 더는 명예의 자리가 될 수 없다.

"컷! 다시!"

"컷! 다시!"

"컷! 흠…… 안 되겠다. 오늘은 이만하죠. 다른 장면부터 찍고 내가 대본을 좀 더 고민해 볼게요. 이렇게까지 거부감을 느낄 정도면 내 인식이 좀 문제가 있는 거지. 요새 이런 문제가 민감하기도 하고…….”

결국, 그쯤에서 촬영을 마치고 숙소로 돌아온다.

1인실의 문을 닫은 난 자동 사냥을 돌고 있던 캐릭터의 인벤토리를 정리한 후 다시 사냥을 돌려 두었다.

“황제.”

무심코 중얼거린다. 침대에 앉아 벽에 등을 기댔다.

“황제…… 노블 블러드라…….”

문득 예전 일이 떠오른다.

[나는 왕족이야! 신왕가(神王家)의 피를 이은 자란 말이다! 네깟 것들이 날 무시해?]

내 아버지는 과거의 영광을 잊지 못하던 사람이었다. 34지구에 정착한 지 십수 년이 지나도 98지구에서 살던 때만을 추억했다.

아버지는 쓰레기 같은 인간이었다.

일을 하지도 않았고 가족을 부양할 생각은 더더욱 없었다. 시녀 출신이던 어머니를 멸시했고 조금만 기분이 나빠도 주먹을 들었다.

아버지는 이능력자였다.

나름대로 왕가에 전해져 내려오는 비전의 수련법(34지

구 기준으로 치면 폐급으로 분류되겠지만)을 익히고 왕족으로 자라며 영약도 많이 먹어 익스퍼트 이상의 능력을 갖추고 있었다.

당연하지만, 거의 일반인이나 다름없던 어머니에게 아버지의 주먹질은 살인적이었다. 아버지가 술에 취해 행패를 부릴 때마다 어머니는 사경을 헤매야 했다.

상황은 나도 마찬가지.

타고나기를 강골로 타고난 나조차 아버지의 무자비한 폭력은 견디기 어려웠다. 몇 번이고 뼈가 부러지고 피를 쏟았지.

병원에 못 가는 건 당연한 일이다.

보편의 정의에 용납되지 않는 가정 폭력을 행사해 온 아버지의 얼굴에는 이미 몇 개나 되는 [죄의 낙인]이 새겨져 있는 상태. 병원에 가 가정 폭력의 징후를 들킨다면 의사들이 가만있을 리 있겠는가?

집안의 일. 문화 차이라는 변명으로 무사했을 뿐 단 한 건의 경찰 신고만 들어갔어도 그는 콩밥을 먹었을 것이다. 알량한 전투 능력 따위 아내와 자식이나 팰 수 있지 정의신의 사제를 상대로는 아무것도 할 수 없다.

[와~ 인간쓰레기다~]

정의신이 사제들이 그렇게 신나서 달려오면 저항이고 뭐고 바로 끌려갔겠지.

'차라리…… 그랬어야 했는데. 창문 밖으로 뛰어내리기

라도 해서 도움을 청했다면…….'

그러나 나는 그러지 못했다. 그때의 난 너무 어렸고, 어머니는 여전히 아버지에게 복종했다.

그리고 그날.

내가 중학교에 갈 나이가 되었을 때.

나는 [불가해한 전투 예지]를 각성했고…… 여느 때와 마찬가지로 어머니를 구타하던 아버지를 막아섰다.

"……."

그날을 기억한다.

피투성이가 된 얼굴로 망연자실한 표정을 짓던 아버지. 울고만 계시던 어머니.

그리고 다음 날.

아버지가 자살했다.

"엿같군……."

오랫동안 잊고 있던 기억에 쓰게 웃었다.

34지구에서 방황하던 시간이 떠오른다. 낙원이나 다름없을 정도로 발달된 문명에서도 나는 길을 찾지 못했다. 언제나 분노에 차 있었고 여기저기 민폐를 끼치고 다녔다.

그러나 지금은 어떤가?

'참 웃기는 일이지.'

야만적이고 난폭하던, 시대의 낙오자나 다름없던 한 문명인은 피와 살, 거짓과 악의로 가득한 중세 랜드에 가서야 용맹한 전사, 믿을 수 있는 동료, 존경할 만한 지도자가 될 수 있었다.

"……로그인."

팟!

단숨에 배경이 변한다. 따듯한 현대의 숙소에서 눈보라가 휘몰아치는 던전으로 이동하자 온몸이 싸늘하게 식는다. 아무리 냉기 저항이 있어도 썩 좋은 환경은 아니었다.

'보스 세 마리 중 하나를 잡았어. 같은 방식으로 나머지 둘도 치우면 된다.'

그렇게 생각하며 몸을 날렸지만. 아쉽게도 적들 역시 바보가 아니다.

"깡통! 빠져!"

쿵! 쿵! 쿵!

설녀와 골렘이 공격을 포기하고 뒤로 물러난다.

대신 수천의 몬스터들이 몰려왔다.

"키야악…… 컥!"

달려들던 예티의 목을 치며 전진하려 했지만, 사방에서 냉기 공격이 쏟아진다. 얼음의 검과 창이 몸을 후려치고 아이스 엘리멘탈들이 죽음을 불사하고 달려들어 움직임을 차단한다.

수의 폭력.

압구정동에서 오우거가 당했던 그것을 내가 당한다. 하나하나 결코 무시할 수 없는 공격이 비처럼 쏟아지니 아무리 나라도 뚫고 갈 수가 없었다.

"성주님을 도와라!"

"우리도 갈겨!"

내 뒤를 기사와 병사들이 따라붙는다.

퍼펑! 쾅!

"주문! 주문을 더 빨리……!"

"너무 추워! 입이 얼어붙어……."

마법사들 역시 화염 마법을 날려 몬스터들을 공격한다.

"크아아앙!"

"크워워!"

"차르르르릉!"

던전 전체에 흩어져 있던 몬스터가 모여들며 점점 싸움이 격해지기 시작한다. 얼음에 베이고 주먹에 얻어맞고 꽁꽁 얼어 사망한 병사들이 바닥에 널브러진다.

그러나 그럼에도 병사들의 사기는 전혀 꺾이지 않는다.

"물러서지 마라!"

"자리를 지켜! 제자리에서 죽어라!"

던전이 열리고 몬스터가 등장한 지 이제 1년 좀 넘게 지났다. 역사와 전통은커녕 우리 세력을 구성하고 있는 대부분이 남이나 다름없던 외국인들.

그러나 그럼에도 그들의 충성심과 자부심은 일반적인 선을 넘어섰다.

'……그래. 그랬지.'

알고 있다.

나는 이미, 황제나 다름없다.

제국, 하다못해 왕국이라도 선포하자는 수하들의 간언이 몇 번이고 있었고 그것은 실제로 가능한 일이었다. 인구가 좀 부족하다 하더라도 내가 차지하고 있는 영역과 세력의 힘은 충분히 그게 가능한 수준이었으니까.

하지만 그럼에도 나는 그러지 않았다. 마음의 거리낌이 있었기 때문이다.

지금까지는 그냥 아직 때가 일러서 그렇다. 라는 식으로 생각하고 있었는데 앨런 감독의 말을 듣고는 그게 아니라는 것을 알았다.

'내가 멍청했군.'

쓰게 웃으며 전장 상황을 살핀다.

상황은 좋지 않았다. 그리고 점점 더 안 좋아지고 있었다. 어마어마한 추위에 병사들이 제대로 힘을 못 썼고 전투가 길어지며 사방에 흩어져 있던 몬스터들이 모조리 몰려들었기 때문이다.

어느새 주변을 빽빽하게 채운 몬스터들이 해변을 후려치는 파도처럼 내 군세를 깎아먹고 있었다.

이대로 싸우면 그리 오래 지나지 않아 전 병력이 전멸할 테고, 나 역시 살아남지 못할 것이다.

"좋아."

그러나 예상하고 있던 바다.

"충분히 모였군."

쿠쿠쿵!

괴력검을 휘둘러 몬스터들을 모조리 쳐 내 공간을 만든다. 그리고 소리친다.

"지금!"

지금 내 명령에 스틸스톤과 헌드레드. 스마일. 플라워와 헤이즈가 동시에 소리친다.

"나와라!"

"나와라!"

"나와라!"

인터페이스를 조작할 틈 따위는 없다. 모두 두 손이 바쁜 상황이니까.

"카심!"

〈포효하는 드레이크 카심(전설)이 소환됩니다!〉

무려 여섯 마리의 드레이크가 동시에 소환되자 사방에서 난리가 났다. 카심의 덩치에 몬스터들이 깔리고 개중 몇은 카심을 공격하기도 했다.

그러나 아무리 몬스터들의 공격이 매서워도 전설 등급의 드레이크를 단번에 어찌할 수 있는 수준은 아니다.

"울어라."

고오오오---

내 명령에 카심의 입 앞에 백색의 구체가 형성되기 시작한다.

다만 문제가 있었다.

"울어! 포효하라고!"

"울어라, 카심!"

포효를 준비하는 카심은 내가 소환한 한 마리뿐 나머지들은 아니었다.

헤이즈가 소환한 녀석은 그냥 멀뚱히 자신의 주인을 쳐다보기만 했고, 나머지 녀석들은 그 정도도 아니다. 허리를 바짝 숙이는 것이, 당장이라도 땅을 박차고 어디론가 날아가 버릴 것 같은 모양새.

'이런 제길! 연습이라도 하고 왔어야 했나?'

그런 생각을 하며 소리쳤다.

"울어라!"

"크르르……."

내 고함에 화이트 드레이크의 시선이 일시에 모여든다. 그리고 이내.

고오오오---

고오오오---

여기저기에서 빛 덩어리가 떠오른다.

"막아! 저 덩치들의 숨결을 막아!"

"크아아앙!"

몬스터들이 기겁해 몰려드는 모습이 보였지만 이미 늦

었다. 애초에 카심의 숨결은 쿨 타임이 길지 시전 시간이 긴 기술이 아니다.

꿀꺽.

가장 먼저 내 카심이 빛의 구체를 삼킨다.

〈카심이 포효합니다!〉

〈카심이 포효합니다!〉

〈카심이 포효합니다!〉

〈카심이……〉

빛이 터졌다. 바글바글 모여 있던 몬스터들이 일거에 쓸려나간다. 광역 기술이 내 전진을 막기 위해 바글바글 모여 있던 몬스터 위로 떨어지자 그 효율이 상식을 넘어서는 수준!

길드원. 거기에 연합군 시스템으로 연결된 정예병들과 달리, 몬스터들은 방어를 굳히건 몸을 웅크리건 신성 포효의 타격을 견딜 수가 없었다.

"크억……."

그러나 엄청난 타격에도 두 보스 몬스터는 살아남았다. 보스급 몬스터에게 더해지는 보정의 힘이었지만, 그렇게 살아남은 녀석들 앞에 내가 서 있다.

"끝이다."

"인간! 저주하겠……."

좌악!

설녀의 머리가 떨어져 나간다. 이어서 아이스 골렘의 코어도 파괴된다.

그걸로 끝이었다.

[얼음 여왕의 낙원(고급~영웅)의 헬 난이도가 공략되었습니다!]

[조건을 우선 완료한 길드부터 공성전을 신청할 수 있습니다!]

[멀끔한 벽돌성(고급)이 등장합니다!]

"오, 오오…… 따듯해……."

"숨쉴 수 있어……."

쿠구궁!

밀려나는 땅 위에 병사들이 주저앉는다.

사실 지마일도 영하 15도가 넘을 정도로 추웠지만, 온몸을 꽁꽁 싸매고도 동사할 위기였던 던전에 비하면 천국 같은 환경.

나는 병사들의 수를 가늠했다. 그리 길지 않은 전투였음에도 3천 이상의 사상자가 발생했다는 사실을 알았다.

그러나 그런 엄청난 피해에도, 병사들은 빛나는 눈동자로 나를 바라보고 있다.

"모두, 수고했다."

"와아아아!"

"이겼다! 우리의 승리야!"

터져 나오는 환호성 속에서, 나는 이미 걷고 있었다.

황제의 길을.

상의를 또 찢었다. 이걸로 8번째다.

'아니, 이게 뭔.'

어이가 없었지만 필요하다니 시키는 대로 하고 있다. 격전 중에 옷이 찢어졌다는 설정이니 완전히 억지라고 하기도 뭐한 상황.

투덜거리며 지구와 아르데니아를 계속해서 왕복한다.

"로그인."

아르데니아에서 일검세를 펼치고 지구로 돌아와 혜영과 키스씬을 찍고.

"로그아웃."

아르데니아에서 일검세를 펼치고 지구로 돌아와 성재와 전투씬을 찍는다.

'무공에 대해 좀 더 생각해 봐야겠는데.'

현재 내가 지닌 내공은 개성을 가지지 않는 중립의 기(氣)다. 특화된 효과가 없는 대신 어떤 무공이라도 사용할 수 있는 내공.

직접 심법을 수련해 축기한 결과물이 아니라 클래스 보정과 컬렉션 등으로 얻은 마나를 차크라로 가공해 얻어낸 결과물이기에 벌어지는 현상 같았다.

'찰나결에서도 일검세밖에 사용하지 않아. 이럴 거면…… 비슷한 방식의 전투에 특화된 무공을 찾는 게 더 좋다.'

로그인과 로그아웃을 반복하며 쉴 수 있다는 어드벤티지는 너무나도 강력하다. 이토록 강렬한 강점을 그냥 묻어 둔다는 건 있을 수 없는 일.

적당한 무공이 없다면 새로운 무공을 창안해서라도 활용할 생각이었다.

"로그아웃."

일검세를 펼치고 지구로 돌아온다. 그리고 아직 달아올라 있는 근육을 움직여 몸을 날린다.

따앙!

"크윽!? 뭐야 저 녀석들?"

"막아!"

거대 카르텔의 군대가 공격을 가한다.

성재가 손가락을 튕겨 마력장을 날리고 그 사이를 파고든 내가 벼락처럼 검기를 떨쳐 내 마무리한다.

턱.

성재와 내 등이 닿는다.

"제법이야."

"나쁘진 않군."

건조한 칭찬. 그리고.

"컷! 자, 다음 씬 준비합시다!"

짧은 박수와 함께 스태프들이 임시 촬영장을 뛰어다닌다. 찢어진 옷가지를 내버리는 내 모습에 수군거리는 목소리가 들린다.

"삼각관계 택도 없다고 생각했는데…… 재연 씨 꽤 괜찮지 않아?"

"그러게. 발성도 좋고 아우라도 상당하고…… 좀 험상궂은 게 아닌가 했는데 야성적인 매력이 있어."

"팔 근육 쪼개지는 거 너무 좋다…… 섹시해……."

나는 못 들은 척하며 거울에 비친 내 모습을 확인했다.

'환골탈태를 해서 여러모로 다행이네.'

만약 환골탈태가 아니었다면 지금처럼 뭐만 하면 상의를 탈의하는 전개를 쓸 수 없었을 것이다.

뒷배 하나 없이 중세 랜드에서 20년.

부상은 일상이었고 제대로 된 치료를 받을 만한 환경도 아니었다. 덕분에 온몸에 흉터가 어린아이의 낙서처럼 대중없이 그어져 있었으니, 아무래도 보기에 상태가 좋지 않던 상황.

그러나 환골탈태를 하면서 그 많던 흉터가 다 사라지고 피부도 매끈하게 변했다.

다만 그게 좋기만 한 것은 아니었다.

'몸이 작아졌어.'

태산 같던 승모근이 빠지고 팔 두께도 형편없이 얇아졌다. 스태프들은 '벗으면 굉장해!'라며 환호성을 질렀지만 벗지 않아도 굉장한 몸을 가지고 있던 나로서는 안타까운 일이다.

그나마 덩치가 작아졌음에도 운동 능력은 떨어지지 않아서 다행이다. 근육이 그냥 작아진 게 아니라 압축된 느낌이랄까.

"……로그인."

의자에 앉아 쉬던 난 그대로 아르데니아에 들어갔다.

후오오오!

치리링! 쩌적!

성벽 위에 바글바글 모여 있는 아이스 엘리멘탈들이 냉기를 뿜어내고 얼음 화살을 만들어 쏘아 낸다.

"방패 똑바로 들어!"

"전진을 멈추지 마라! 성안으로 진입해!"

파괴된 성문을 통해 수천의 병사들이 들이닥친다.

"크워어!"

괴성과 함께 예티 하나가 대로를 가로막는다. 일단 병력의 전진을 막아 몬스터들이 모일 시간을 벌려는 것이었지만.

찰나결(刹那訣) 제1식.

일검세(一劍勢).

성문 위에서 뛰어내려 머리통을 쪼개 버린다.

"성주님께서 우리와 함께하신다!"

"전진해! 성벽 위로 올라가라! 북문을 완전히 장악해야 한다!"

"전쟁에서 승리하면 우리도 정예병이 될 수 있다! 시민권도 얻을 수 있어!"

지금 공성을 진행하는 이들은 대부분 일반병들이다. 던전 클리어에 도전했던 정예병들 태반이 성 밖에서 송편을 먹고 쉬는 상태였기 때문이다.

'시간제한.'

헬 난이도 던전이 클리어되면 2시간 이내에 공성전을 시작해야 하고, 공성전을 시작하게 되면 3시간 이내에 공성전에서 승리해야 하기 때문이다.

'물론 게임이 현실이 된 지금은 공성 시간이 아니라도 성을 공격할 수 있다.'

게임에서야 공성전 때가 아니면 성안에서 적대 행위 자체가 안 되지만 현실에서 그 정도의 강제력은 없다.

몬스터를 다 죽이고 성을 차지하면 그게 내 성이지 누구 거겠는가?

그러나 내 상황은 다르다.

나는 '시스템'적으로 이 성을 차지해야 하기 때문이다.

당연하지만 던전에 들어갔던 정예병들의 상태는 고작 몇 시간 만에 회복할 수 있는 수준이 아니었다. 중상자들도 많았고 무지막지한 냉기로 인해 동상에 걸린 이들이 대부분. 그렇기에 난 전투에 참여할 수 없는 정예병들을 쉬게 두고 나머지 병력을 이끌고 공성을 진행하고 있다.

당연히 전력이 대폭 감소했지만.

"합!"

그 과정은 생각보다 쉽다.

"막아! 저주스러운 인간! 팔다리를 찢어 버려라!"

"의기는 좋은데."

달려드는 내 앞을 아이스 골렘이 막아선다.

그러나 어림없다.

녀석이 뿜어내는 냉기는 90%나 감소되어 적용되고 덩치 차이에도 내 힘이 더 세다.

쿠광!

아이스 골렘의 다리를 잡아 그대로 던져 버리자 수십의 몬스터가 쓸려 나간다.

나는 악을 쓰는 설녀에게 접근해 괴력검을 들었다.

"이 정도 숫자로는 날 못 막지."

공성전 난이도가 낮다. 던전을 클리어할 때 대부분의 엘리트 몬스터를 죽여 놓았기 때문이다.

공성전이 시작되며 일반 몬스터들은 부활했지만, 엘리트 몬스터는 그러지 못했다.

아무리 수의 폭력, 수의 폭력 하지만 수준 차이가 너무 나면 그것도 힘들다. 일검세를 끝도 없이 뿜어내는 날 일반 몬스터들이 어찌 막아낼 수 있겠는가?

"로그인."

"로그아웃."

반복한다. 계속 반복한다. 어느 순간 성재가 나를 보고 말한다.

"재연이 너 이제야 좀 인간 같다."

"뭐가?"

"피곤해 보여. 하긴 요새 일정이 좀 빡빡하긴 하지?"

성재의 말대로 좀 피곤하다. 하기야 아르데니아를 계속 왕복하며 공성전을 이어 가고 있으니 당연한 일이다.

전쟁을 수행한다기보다 일검세 머신이 되어 있는 것 같지만 그래도 전투는 전투.

심지어 지구에서도 쉬는 게 아니라 연기를 하고 있으니 피로가 쌓이는 게 정상이다.

"좀 그렇긴 하네."

그렇게 대답하곤 고민한다.

'한동안 아르데니아로 가지 말까? 촬영만 다 끝나도 나을 것 같은데.'

그러나 이내 고개를 흔들었다.

'아니, 나아질 것 하나 없다.'

지금만 바쁜 게 아니다. 일주일 뒤. 한 달 뒤. 일 년 뒤에도 나는 바쁠 것이다. 나는 돈을 계속 벌어야 하고, 그러기 위해서는 계속 일해야 했다.

"로그인."

"로그아웃."

그러나 그 과정이 계속 반복되니 다시 고민된다.

진짜 피곤하다.

'그냥 대충 연기하고 넘길까?'

그러나 흐트러지는 정신을 간신히 다잡는다.

'아냐. 이왕 할 거 잘해야지. 앞으로 일이 더 들어올지도 모른다.'

더 착실하게 일해야 한다. 배우로서의 개런티가 소설을 써서 받는 후원금에 훨씬 못 미치는 상황이지만, 안타깝게도 후원금에는 한계가 있기 때문이다.

'작품이 모자라…….'

한 작품에 주어지는 후원은 난 한 번뿐.

이 수상할 정도로 돈이 많은 후원자의 숫자는 10명도 더 된다고 짐작되지만, 지금껏 단 한 번도 한 작품에 2명의 후원이 붙는 경우가 없었다.

즉.

'더는 후원을 받기가 어려워.'

백과사전 같은 수준의 작품은 애초에 별로 없고 그런 작품을 제외하더라도 소설이 얼마 남지 않았다.

애초에 아르데니아는 문학이 그리 부흥한 세계도 아니었고 얼마 없는 작품들도 몬스터들의 습격으로 많이 손실되었다.

물론 이미 쓴 작품들로 인한 인세가 계속 들어오고 있

었지만 억 단위로 들어오던 후원에 비하면 소소한 수준에 불과하다. 처음부터 대중성은 내다 버린 작품들이었기 때문이다.

"로그인."

그리고 그러던 와중. 마침내 모든 엘리트 몬스터를 암살하는 데 성공했다.

쾅!

분노한 일반 몬스터들이 몰려들었지만, 상대하지 않고 뛰어오른다. 근력이 인간을 초월한 상태에서 경공까지 더해지자 단번에 50미터는 날아오른다.

"카심!"

허공에서 백색의 드레이크가 나타나 날 받아 든다.

처음부터 소환해 영주성으로 직행했다간 다구리 맞아 죽을 게 뻔해서 직접 성문을 부수고 여기까지 전진했다.

이제 병사들이 성안에 잔뜩 들어와 전진을 시작했으니 겹겹이 포위당하는 일은 없을 것이다.

"……음?"

그러나 영주성에 도착한 나는 뭔가 이상하다는 사실을 깨달았다. 영주성을 지키는 몬스터가 전혀 없었다.

"뭐야? 무슨 일이지?"

어이가 없어 주변을 뒤졌지만, 완전히 텅 빈 건물.

나는 영주성으로 돌아와 옥좌에 앉았다.

[한재연 님이 옥좌에 각인을 시도 중입니다!]

공지가 뜬다. 얼른 달려와서 막으라는 뜻. 그러나 아무도 오지 않는다.

"……뭐 됐어. 이러니저러니 해도 성을 먹으면 다 끝난다."

뭔가 찝찝했지만 각인을 멈출 정도는 아니다. 일단 점령이 완료되면 모든 몬스터가 사라지고 성 자체가 내 영역에 들어오기 때문이다.

그러나 바로 그 순간 전투 예지가 작동했다.

"……!"

신음을 토할 틈조차 없이 괴력검을 뽑아 일검세를 펼친다.

쩌저저적!

쩡!

영주성 전체가 통째로 얼어 버린다. 전투 예지의 힘으로 맞받아쳤지만 그저 그뿐. 애초에 피할 수 있는 공격이 아니었다.

[제법이군. 그 와중에 마주 찌르다니…… 고작 인간 놈에게 죽었다는 말을 믿기 싫지만, 이 정도면 능히 그럴 만하다.]

나는 심장에 검이 박혔다는 사실을 전혀 신경 쓰지 않는 듯 의연한 적의 모습을 보았다.

각성 얼음 여왕(전설)

엘리사

'리젠되었다고? 벌써?'

눈을 마주하는 얼음 여왕의 모습에 온몸이 싸늘하게 식는 것을 느꼈다.

그것은 비유 같은 것이 아니었다.

[상태 이상 '동결'에 걸리셨습니다!]

원래는 길어 봐야 5초 정도에 불과해야 할 상태 이상이 풀리지 않는다. 하기야 이미 얼어붙은 몸이 별 이유 없이 회복될 리 없다.

'아니 말도 안 돼. 이런 공격을 할 수 있으면 지금껏 쓰지 않았을 리 없는데.'

경악하던 나는 얼음 여왕의 몸이 손끝부터 천천히 스러지는 모습을 보았다.

그리고 깨달았다.

'동귀어진…… 자폭기다.'

기막히게도 얼음 여왕은 코어를 터트려 자신이 품고 있던 한계 이상의 냉기를 뿜아냈다. 당연히 게임에서는 없는 일이다. 어떤 미친 레이드 몬스터가 그런 쓰레기 스킬을 가지고 있겠는가? 자폭기에 당해도 그냥 다이아 내고 부활하면 그만인데.

그러나 현실에서는 이야기가 다르다.

[부하들의 보고를 들었지. 네가 아무리 큰 상처를 입어도 말 한마디면 회복한다던가. 지금은 어떤가? 회복할 수 있나?]

"……."

회복할 수 없다. 몸속까지 얼어붙자 무지막지한 괴력도 무용지물. 로그아웃을 소리 내어 말하긴커녕 눈 하나 깜짝할 수 없다.

'이럴 수가.'

[불가해한 전투 예지]는 사기적인 능력이다.

작동 원리도 방식도 알 수 없는 이 능력은 뛰어난 감지 능력은커녕 영감 자체가 없는 내가 기습에 면역이 되도록 만들어 주었다.

그러나 그것이 절대 무적은 아니었다.

감지 능력이 없는 나는 지금처럼 [함정으로 기어 들어가는] 상황을 피할 수가 없다. 뒤늦게 발동하는 전투 예지는 아무 소용이 없다. 이미 함정의 한가운데이기 때문이다.

'하다못해 역근세수경을 익힌 스틸스톤만 데려왔어도 뭔가 설치되어 있다는 걸 깨달았을 텐데.'

로그인 로그아웃은 사기적인 능력이다.

나는 죽지만 않으면 그 상황을 회피해 회복할 수 있었

다. 34지구는 안전한 곳이니 죽지만 않으면 어떤 부상이든 다 치료할 수 있다. 영구적인 장애조차 병원에 가면 다 치료해 줄 정도니 더 말해 무엇하겠는가?

그러나 그것 역시 무적이 아니다.

'설마 말을 못 하게 할 줄이야.'

예상하지 못했다. 던전에도 없던 스페셜 보스가 벌써 리젠되었을지도 모른다는 가능성은 염두에 두고 있었지만 아무리 그래도 이런 식의 자폭 공격이라니?

얼음 여왕이 말한다.

[내가 지켜보니…… 너만 없으면 저 많은 병력 모두가 허수아비야. 언제든 다 쓸어 버릴 수 있다는 말이지.]

완전히 맞는 말이라 부정할 수가 없었다. 내 군세는 나라는 한 명의 존재에게 완전히 예속되어 있기 때문이다.

후계자 따위 있을 리 없으니 내가 죽는 것만으로 세력 전체가 박살 나 흩어지게 되리라.

파스스스……

얼음 여왕의 몸이 천천히 흩어지는 모습이 보인다. 그녀는 잠시 그 모습을 두렵다는 듯 바라보았지만, 이내 표정을 수습하고 말했다.

[너는 죽고 나는 부활할 것이다.]

[네놈의 모든 군세를 꽁꽁 얼리고 모든 땅을 차지할 것이다.]

그 말을 마지막으로 얼음 여왕이 사라진다.

"……."

발버둥 치듯 내공을 운기함에도 동결이 풀리지 않는다.

의식이 점점 흐려지고 있었다.

[축하합니다! 한 길드가 얼음 여왕의 낙원을 점령했습니다!]

[새로운 성주. 한재연.]

그리고 마침내.

나는 정신을 잃었다.

* * *

웅!

내면의 바둑판에 새로운 자리가 열린다.

화점.

바둑판에 자리 잡은 9개의 맥(脈).

딱!

그리고 그렇게 열린 자리에 새로운 요소가 박힌다. 한재연이 가지지도 못했고 수련한 적도 없던 요소가 마치 봉인에서 풀려나듯 저절로 깨어나 선명한 존재감을 흩뿌리기 시작한다.

동사에 준하는 경험을 한 이들이 주로 각성한다는 속성

계 요소.

냉기였다.

* * *

온몸이 으슬으슬 떨리고 머리가 깨질 것 같이 아프다. 그야말로 최악의 컨디션.

그러나 몰려오는 고통은 역설적으로 내가 아직 살아 있다는 사실을 알려 주고 있다.

철컹!

"……응?"

몸을 뒤척이려던 난 뭔가 이상하다는 사실을 깨달았다.

"뭐야, 이게."

양팔이 커다란 수갑으로 봉인되어 있다.

다리에는 철구와 연결된 쇠사슬이 묶여 있고, 심지어 목에도 강철로 된 구속구가 달려 있다.

"성주님이 깨어나셨다!"

"성주님! 괜찮으십니까?"

나를 걱정하는 목소리가 들린다. 지금 내 처지와는 사뭇 다른 분위기.

나는 고개를 들었다.

"깼군."

떡 벌어진 어깨, 2미터는 될 법한 신장. 동양식 무복에 선이 굵은 외모의 소유자가 폭이 넓은 대검을 든 채 서 있다.

이제 보니 그뿐이 아니다. 동양풍의 옷을 입은 수백 명의 사내가 날 포위하고 있었다.

"성주님!"

"접근하지 마라."

무복의 사내가 내 목에 칼을 겨누자 중앙 광장을 가득 채운 정예병들이 안절부절못하는 모습이 보인다.

'뭐야, 이거.'

좋지 않은 상태, 뭔지 모를 상황.

일단 탈출하는 게 지혜로운 선택이리라.

"로그아웃."

최대한 작게, 읊조리듯 말했다. 지구에서만 조심했지 아르데니아에서는 크게 신경 쓰지 않았었는데 얼음 여왕에게 로그아웃을 견제당하고 나니 절로 복화술을 하게 된다.

팟!

지구로 돌아온다.

"그런데 뭐였지?"

의문이 들었지만 급하지 않은 문제. 나는 쓸데없이 고민에 잠기는 대신 당면한 문제부터 해결하기로 했다.

"저체온증이네요? 아니, 어쩌다? 어떻게?"

스태프들의 건강을 위해 참가한 전담 치료술사가 황당한 표정을 지었다. 하기야 항상 적정 온도가 유지되는 촬영장에서 이런 증상을 보이는 건 정상이 아녔다.

"하하…… 그냥 능력 사용이 조금."

"이것 참…… 뭐 제가 간섭할 문제는 아니지만 무리하지 마세요. 재연 씨는 지금 저희 영화의 중추라고요!"

"넵."

곱게 수긍하는 내게 고도화된 의술과 치료술이 퍼부어진다. 아르데니아였다면 사경을 헤맸을, 아니 어쩌면 실제로 죽음에 이르렀을지 모를 컨디션이 삽시간에 꽤 괜찮은 수준까지 돌아온다.

"선진 의료 만세."

개소리를 지껄이며 개인 숙소로 돌아온다. 그리고 침대에 누워 상황을 정리한다.

'다행히 죽지 않았다. 그 이유는 새로 얻은 요소 때문이겠지.'

차크라 능력자들의 상징처럼 여겨지는 속성 능력이다. 당장 근처의 혜영만 해도 어둠 속성을 각성해 그림자 이동이나 은신 등을 사용하지 않던가?

'다만 이 요소는 강제되는 모양이야.'

화점의 냉기를 빼고 다른 요소를 넣어 보려 했지만, 요지부동, 꼼짝도 하지 않는다. 그 의미는 원래부터 이 자리의 속성은 냉기였다는 뜻.

'이런 식이면 9개의 화점을 먹었을 때 9개의 속성을 가지게 되는 건가?'

전무후무(前無後無)한 일까지는 아니지만, 극히 드문 일이다. 차크라 마스터들도 속성은 한 개나 두 개 정도만 다루는 게 일반적이니까.

변한 것은 그뿐이 아니다.

'2층에 이르렀어.'

차크라의 경지인 무량구층(無量九層) 중 1층이 가득 차더니 다음 경지에 들어섰다.

꽤 오래 차크라를 수련해도 미동도 안 하던 경지가 상승한 것!

이것이 뜻하는 바는 명확하다.

'화점을 먹을 때마다 층수가 늘어나겠군.'

이는 화점을 차지해 얻는 이득이 그야말로 상상을 초월하며, 그 정도는 화점을 차지하면 차지할수록 강해진다는 뜻이다.

"아니, 잠깐."

침대에 누워 있다가 문득 중얼거린다.

"그런데 화점 하나 먹었다고 2층이면…… 9개 다 먹으면 10층 아닌가?"

그러나 무량구층은 9층이 끝으로, 무량구층을 완성하게 되면 초월의 경지에 올라 층의 구분이 사라진다고 한다.

"흠. 어쩌면 뭔가 계산이 다른…… 듯……."

[딩동~ 댕동~ 출근 시간이에요~ 배우와 스태프들은 어서~ 촬영장으로 와 주세요~!]

"아……."

언제 잠들었는지도 모르겠는데 찾아온 아침. 나는 침대에 누워 멍하니 중얼거렸다.

"세상 망했으면……."

분명 난 이런 사람이 아니었는데 점점 출근이 싫어진다. 언제 죽을지 모르는 상황에서 칼을 안고 자던 과거의 내가 보면 나약한 녀석이라고 질타했을 정도다.

'뭐, 그래도 요새 너무 안 쉰 건 사실이지.'

아무리 육체가 견디더라도 끝없는 노동은 사람의 정신을 피폐하게 만든다. 지구에서는 연기를 하고 아르데니아에서는 죽고 죽이는 전쟁을 이어 가니 점점 정신이 깎여 나가는 것.

"주변 성만 좀 더 차지하고…… 한동안은 내정이나 해야겠다."

일단 화점을 차지해 신화 합성의 길이 열렸으니 한동안은 급할 게 없다.

"자자! 슬슬 끝나 갑니다! 모두 힘냅시다!"

"화이팅!"

촬영이 끝나 가는 만큼 촬영장의 분위기는 아주 좋았다. 연기를 마치고 오면 스태프들이 웅성거리는 소리가 들린다.

"와, 이번 영화 5천만 관객은 그냥 찍고 시작하겠는데?"

"영상이 생각보다 잘 빠졌어…… 성재 씨도 평소보다 컨디션이 좋고 신인 배우라 걱정했던 혜영 씨도 상상 이상으로 잘해 주고 있어."

"사실 진짜 상상 이상은 따로 있지."

"맞아. 이거 참, 처음에는 분명 엑스트라였는데."

촬영이 마지막을 향해 달려갈수록 촬영장의 분위기가 점점 고조되는 것이 느껴진다.

앨런의 눈에 깃든 광기가 점점 심해지고 조금이라도 마음에 안 들면 몇 번이고 장면을 다시 찍고 대본을 새로 쓴다.

연기라는 것에 조금의 관심도 없던 나조차 진심으로 몰입할 정도로 촬영장의 분위기는 뜨거웠다.

하루, 이틀, 사흘.

아르데니아에 가지 않은 채로 순식간에 삼 일이 지났다. 나는 연기를 마치고 숙소에 누워 있다가 그제야 그 사실을 깨달았다.

"아차. 아무리 그래도 신화 합성은 해야지."

그리고 그러려면 아르데니아의 상황을 해결해야 한다.

"로그인."

배경이 급변한다. 침대 위에 편안히 누워 있던 나는 어느새 구속구와 수갑을 찬 죄인의 모습을 하고 있다.

분노한 스틸스톤의 목소리가 들린다.

"검을 치워라. 비겁한 놈. 무림맹주라는 자가 하는 짓이 고작 인질극이란 말인가?"

"너무 화내지 말게, 기사 양반. 우리는 그저 대화를 원할 뿐이야."

"네놈……!"

스틸스톤이 이를 가는 모습이 보인다. 분노한 것은 그뿐이 아니다.

고오오…….

모여 있는 정예병들이 살기를 뿜자 유형화된 기운으로 아지랑이가 피어오른다.

내 목에 검을 겨누고 있는 무림맹주가 질린 듯 투덜거리는 모습이 보인다.

"기이하군. 기이해…… 이 천박한 평민 나부랭이들이 어찌 이만한 힘을 얻었을꼬."

그리고 그때였다.

척! 척! 척!

적에게 장악된 것으로 보이는 서문으로부터 줄줄이 군대가 밀고 들어오는 모습이 보인다.

금색과 적색이 섞인 화려한 복식.

만검단(萬劍團)이다.

척! 척! 척!

만검단의 뒤로도 셀 수 없이 많은 병력이 줄지어 들어온다. 중앙 광장에 자리하고 있던 병사들이 신음하는 소리가 들린다.

"명의 100만 대군……."

"여전히 이렇게 많다고? 고향을 잃고 쫓겨 나왔을 텐데 어떻게……."

적들의 군세는 그야말로 끝이 보이지 않을 정도다. 그 숫자가 얼마나 많은지 도시 전체가 빽빽하게 들어차는 느낌.

그리고 그 많은 군세가 한 번에 갈라진다.

"대륙의 유일한 태양! 하늘의 자손! 위대하고 위대하신 황제 폐하 납시오!"

"만세! 만세! 만만세!"

"만세! 만세! 만만세!"

"만세! 만세! 만만세!"

셀 수 없이 많은 군세가 땅에 엎드리자 마치 세상이 무너지는 듯하다.

그리고 그들 사이에서 화려한 가마 한 대가 모습을 드러낸다. 붉은색과 황금색으로 화려하게 수놓인 비단과 금과 다양한 보석으로 장식된 가마가 병력 사이의 길을 이동해 내 앞으로 다가온다.

"이렇게 만나게 되어 아쉽군. 헌원창이라고 하네."

명 제국의 황제는 나와 30미터 정도의 거리를 두고 멈춰 섰다. 그 거리는 구속구와 수갑을 차고 있음에도 나를 두려워하고 있다는 사실을 알려 준다.

철컹!

무림맹주라 불린 장년의 사내가 대검으로 내 턱을 받쳐 고개를 들어올리기에 순순히 고개를 들어 날 내려다보는 헌원창을 마주 보았다.

"내가 싸우는 모습을 봤나 보군."

"그래. 참으로 용맹하더군. 가히 전설적이라 해도 부족할 정도의 힘이었다. 네가 이끄는 병력도 참으로 대단하지만…… 그 모든 것이 너 하나보다 못해 보일 지경이었지."

"그래서?"

내 말에 헌원창의 입매가 찡그려진다. 내 태도가 건방지다는 생각이 든 모양.

그러나 그는 내 힘을 보았고 나를 인질로 잡았다 해도 이쪽 역시 만 단위의 병력이 있는 상황이었다.

일단 구슬리는 게 가장 먼저임을 아는 그의 목소리는 온화했다.

"허공에 떠오르는 글자로 네 이름을 지겹게 보았지. 처음에는 믿지 않았지만…… 이젠 너에게 자격이 있다는 사실을 안다."

"어떤 자격?"

내 말에 헌원창이 짝하고 손뼉을 쳤다.

그러자 곱게 치장한 미녀들이 금색의 보검을 가지고 다가온다.

"대장군이 되어라. 한재연. 지금 대륙은 존망의 기로를 섰다. 그 검을 받고 영원한 충성을 맹세한다면 너와 네 후손은 명 제국에서 대대손손 영광을 누릴 것이다."

"……."

나는 황제의 얼굴을 보았다.

이어서 내 목에 검을 겨눈 무림맹주. 분위기를 잡는 명 제국의 군세와 나를 애타게 바라보는 수하들을 보았다.

문득 이 야만의 세계에 처음 왔을 때가 떠오른다.

'중세 랜드.'

대한민국의 널리고 널린 백수조차도.

이 세계의 왕보다 평안한 삶을 산다.

엎어지면 코 닿을 거리에 온갖 종류의 음식으로 가득한 식당이 즐비하고 수도꼭지만 틀어도 온수가 콸콸 쏟아진다.

스마트폰을 통해 네트워크에 접속하면 영화, 드라마, 소설 등등 온갖 즐길 거리가 가득하고 누구나 푹신하고 청결한 침실을 가지고 있다.

만약 이 세계로 끌려 온 사람이 내가 아니었다면 그는 아르데니아의 삶에 치를 떨었을 것이다. 햄버거와 콜라를 꿈에서도 그리고, 불결한 푸세식 화장실에 진절머리를 냈겠지. 이 중세 랜드에서 24시간 내내 고통받고 악의를 불태우며 눈물로 밤을 지새웠을 것이다.

"대답해라, 한재연. 대장군이 되겠나?"

그러나 지구에 살던 시절, 나는 차라리 삼국시대에 태어나길 바랐다. 독재 정권의 암울한 세상에서 태어나길 바랐다.

전쟁이 끊이지 않는 세상, 치안이 무너져 만인에 대해 투쟁을 해야만 하는 세상을 원했다.

낙원과도 같은 34지구가 오히려 내겐 지옥.

그것은 내가 배를 곯거나, 누군가에게 고통 받거나, 끝없이 일해야 했기 때문이 아니다.

그 누구도.

[나]라는 존재를 필요로 하지 않는 세상.

'나도 아버지랑 다를 게 없었군.'

항상 분노에 차 있었다. 누구도 나의 안전을 위협하지 않고 알바만 해도 웬만한 문화생활을 다 누리고 살 수 있는 세상에서 늘 불행했다.

나라는 인간이 누구에게도 필요 없는, 하찮고 무가치한 존재라는 사실을 견딜 수가 없었기 때문이다.

'참 웃기는 일이야.'

이 지옥 같은 중세 랜드에 와서야 비로소…….

내가 나일 수 있다는 것은.

"한재연! 대답해라!"

황제가 쩌렁쩌렁 호통친다. 나는 그를 다시 바라보았

다. 그리고 내 성을 꾸역꾸역 채우고 있는 명의 100만 대군을 바라보았다.

화려한 복식에 가려진 깡마른 몸. 제대로 먹지도 못해 부들거리는 팔다리가 보인다.

"……이제야 확신이 서는군."

"충성을 맹세하겠나?"

무의미한 말을 무시하고 자리에서 일어난다. 내 목에 검을 겨누고 있던 무림맹주가 나를 을러댄다.

"황제폐하의 앞이다. 예의를 지켜!"

녀석의 말도 무시했다. 대신 내 양팔을 억죄고 있는 수갑에 힘을 줬다.

"어리석구나! 제법 힘을 쓰는 듯하지만 그건 묵철로 만들어진."

끼이이익----!

"……!?"

수갑이 내지르는 비명에 분위기가 일변한다. 무림맹주 녀석이 벼락처럼 검을 휘두른다. 검을 둘러싼 또렷한 기운은 그가 소드 익스퍼트 중에서도 최상급의 경지에 이르렀다는 사실을 알려 준다.

물론, 아무 소용없는 일이다.

쩌엉!

"컥!?"

두 개로 분리된 수갑 중 하나에 얻어맞은 녀석이 피를

토하며 바닥을 구른다. 나는 찢어진 수갑을 바닥에 털어내고 말했다.

"특별한 사람이 되고 싶었다. 그리고 그 사실에 혐오를 느꼈지."

"네놈! 무슨 소리를 하는 거냐?"

황제가 악을 쓴다. 주변에 있던 무림맹과 황실의 고수들이 날카로운 기세를 뿜어내며 검을 뽑아 든다.

신경 쓰지 않는다.

"나는 황제가 될 것이다."

"……!"

"너! 네놈! 감히! 내 앞에서 뭐라고?!"

비명이 터져 나온다. 나는 차분하게 말을 이어나갔다. 목소리에 내공을 실어 모든 사람이 그 말을 들을 수 있게 조정했다.

"나는, 황제가 될 것이다. 너희들을 이끌 깃발이, 너희들이 편히 쉴 수 있는 성벽이 될 것이다."

주변을 둘러본다. 수많은 사람이 나를 보고 있다. 증오와 분노, 존경과 사랑, 적의와 기쁨이 보였다.

나는 알았다.

'그렇군. 사실 난……. 이런 것을 원하고 있었다.'

누구보다 빛나는, 누구에게나 우러름 받는 존재가 되고 싶었다. 없어져도 아무도 모를 존재가 아니라, 모두에게 필요한, 없어지면 큰일이 날 그런 존재가 되고 싶었다.

이 유치하고 이기적인 욕망이.

바로 나라는 인간을 구성하는 가장 기본적인 근간이다.

"나는 누구보다 앞장서 적과 싸울 검, 모두를 지킬 방패가 될 것이니."

차분한 태도로, 나는 말했다.

"나, 지금 여기에서…… 인류제국의 건국을 선포한다."

"황제폐하 만세!"

누구보다 빠른 외침에 고개를 돌려보니 헤이즈의 모습이 보인다.

'이 녀석 뻔히 있었으면서.'

기막혀 속으로 웃는다. 어쨌든 그녀가 시작이었다.

"황제폐하! 만세!"

"드디어, 드디어!"

"황제여! 장수하소서!"

"황제폐하!"

병사들이 자리에 엎드린다. 기쁨으로 가득한 그들의 목소리에는 울음기마저 섞여 있다.

물론 모두가 그런 것은 아니었다.

"죽여!"

"다 쓸어버려!"

"감히! 감히 누구 앞에서!"

명의 가장 강력한 무력이라는 만검단이 악을 쓰며 검을 뽑아 든다. 그러나 나뿐이 아니라 내 병사들조차 그들을 신경 쓰지 않는다.

물론 엎드려 있는 내 병사들을 만검단이 덮친다면 큰일이 나겠지만, 당연히 난 그리 둘 생각이 없었다.

[멀끔한 벽돌성(고급)을 훌륭한 요새(희귀)로 업그레이드 합니다!]

쿠구구궁!

"악! 땅이?"

"거, 건물들이 멀어진다!"

"뭐야!? 이게 무슨!?"

지축이 뒤흔들리자 성을 가득 채우고 있는 명의 병사들이 넘어지고 비명을 지른다. 이미 같은 상황을 몇 번이나 경험한 내 병사들과 달리 그들은 공포와 두려움으로 정신을 차리지 못한다.

나는 5만 다이아. 그러니까 500만 원을 추가로 소모했다.

[훌륭한 요새(희귀)를 완벽한 요새 도시(영웅)로 업그레이드 합니다!]

쿠구구구궁!

성벽이 40미터까지 높아지고 바닥과 건물의 재질이 파도치듯 일렁이며 변형된다. 이미 엎드려 있던 내 병사들과 달리 막 공격을 나서려던 명의 군세는 넘어지고 부딪히며 정신을 차리지 못한다. 심지어 상당수는 미리 뽑아 들었던 자신의 무기에 상처입기도 했다.

물론 명 제국에는 그 상황에도 균형을 지킬 수 있는 고수들이 있었지만, 그들 역시 급변하는 상황에 어쩔 줄 모르고 방어 자세만 취하고 있다.

나는 30만 다이아를 추가로 소모했다.

[완벽한 요새 도시(영웅)를 얼음의 신전(전설)으로 업그레이드 합니다!]

쿠구궁!

성벽이 더욱 높아지고 도시가 더더욱 확장된다. 지금껏 보지 못했던 얼음으로 된 건물들을 본 병사들의 눈이 휘둥그레진다.

그러나 그조차도 끝이 아니었다.

나는 2백만 다이아. 즉, 2억 원을 추가로 사용했다.

〈얼음의 신전(전설)이 신화의 영역으로 승격합니다!〉

〈성주의 선택이 진행 중입니다.〉

내 눈앞으로 선택지가 떠오른다. 당연한 말이지만 놀이공원이나 서큐랜드 따위를 고르는 미친 짓을 벌이지 않는다.

나는 미리 생각하고 있던 테마를 선택했다.

〈강철과 거인의 성!〉

〈기가스 랜드(신화)가 등장합니다!〉

그렇게 마침내.

크롬의 수도였던 지마일에 강철의 거성이 모습을 드러낸다.

끼기긱! 쿠궁!

얼음으로 이루어져 있던 거대한 성이 단번에 먹빛으로 변한다. 단순히 구조가 바뀌는 것이 아니라 성벽을, 바닥을, 건물을 이루는 재질부터 급변한다.

도시를 구성하는 디자인이 근본부터 뒤바뀌는 그 모습은 그걸 지켜보는 이들로 하여금 이것이 현실인지 의심하게 만들 정도였다. 중세풍이었던 도시가 현대를 넘어 미래적인 디자인으로 바뀌고 있으니 당연한 감상이다.

쿠구궁!

영주성이 하늘로 치솟는다. 정확히 말하자면 건물이 대나무 자라듯 쑥쑥 덩치를 키웠다.

“이게, 이게 뭐야?”

“건물! 건물들이 자란다! 건물들이! 도시가 살아 있어!”

여기저기에서 비명이 터져 나온다. 삽시간에 몇백 미터

는 되게 덩치를 키운 영주성을 명 제국의 병사들이 불가해한 거인을 마주한 것처럼 겁에 질려 바라본다.

'어디 보자. 기가스 체험관은 급한 게 아니고…… 기관단총은 기본이고. 우선 사야 할 게, 방어탑 그리고…… 아 미친. 부가 서비스가 2천만 원에 5천만 원? 하…….'

구시렁거리며 시스템 UI를 조작한다. 적용은 순식간이었다.

그그극!

성벽 위에 천여 정이 넘는 기관총과 8개의 포탑이 생겨난다.

'아, 이런.'

포탑은 상관없었지만 기관총은 사수가 필요했다. 결국 기관총은 내버리고 포탑만을 조종한다.

철컹!

이제는 그 길이가 가늠이 안 될 정도로 확장된 도시. 그리고 그 끝을 막아선 절벽같이 거대한 성벽.

그리고…… 그 성벽 위에서도 도드라지는 존재감을 뿜어내는 포탑들이 거의 동시에 성안으로 고개를 돌렸다.

"뭐야? 무슨 일이야?"

"대포! 거대한 대포가 우릴 겨누고 있어!"

기세등등하던 만검단과 100만 대군이 겁에 질려 우왕좌왕한다. 성문 근처에 있던 이들은 슬금슬금 성 밖으로 물러나고 그러지 못한 이들은 끼리끼리 뭉치거나 건물로 숨어들려 했지만, 그조차 쉽지 않다.

"이, 이거 왜 안 열려?"

"무슨! 집이 이렇게 튼튼해!?"

이성을 잃고 문과 창문을 쾅쾅 걷어찼지만 부서지지 않는다.

그 사이, 다른 수를 쓰는 놈들도 생겼다.

"저놈! 저놈만 잡으면 해결된다!"

"도망치지 마라! 겁쟁이 녀석들은 참형으로 그 죄를 물을 것이다!"

내공을 연마한 게 분명해 보이는 무사들과 만검단의 전사들이 악을 쓰며 내 쪽으로 몰려든다. 나름의 돌파구라 생각한 모양이지만 별로 좋은 선택지는 아니었다.

"빵."

말과 함께 시스템 UI를 조작해 좌표를 지정한다.

쾅!

무지막지한 폭음이 고막을 후려친다. 주변에 있던 적들은 물론이고 나를 지키기 위해 접근하던 정예병들마저 고통스러워하며 귀를 막는다.

"아, 건물 다 부서지네……."

무너지는 건물들을 보며 혀를 찬다. 신화급 성이니 자동 수복 기능이 달려 있지만 리벤지 요소가 다 그렇듯 공짜가 아니다.

[복원 포인트]를 충전할 수 있는 건 다이아뿐이니 성

내부에 포격을 가하는 건 원래 지양해야 할 사항이었다.

"이게 뭐야! 이게 뭐야!"

"우웩! 우웨엑!"

"도와줘! 아무 소리가 안 들려! 다리가 움직이지 않아!"

대형 포탑. 다윈-8의 포격에 수백 명의 병사가 말 그대로 피떡이 되었다. 그들 중에는 마나를 다룰 수 있는 무인들이 있었지만 소드 마스터급이 아닌 바에야 포탄 앞에서 평등하다.

'다윈-8의 포격 쿨 타임은 30분인가. 강화할수록 줄어드는군.'

꽤 큰 단점이었지만 별로 문제 되는 상황은 아니다. 다윈-8은 아직 7대나 더 있기도 했고.

'무엇보다…… 아직 5천만 원짜리가 남았지.'

[기가스 콜을 발동하였습니다!]

드르르르륵!

텍스트와 함께 눈앞에 룰렛이 나타난다. 룰렛에 적힌 이름은 6개. 빙글빙글 돌던 룰렛이 멈춰 선다.

[대성공!]

[황금기사단(人)이 소환됩니다!]

쿵! 쿵쿵쿵!

황금빛으로 빛나는 10기의 거인이 모습을 드러낸다. 5천만 원이라는 미친 가격을 가진 주제에 30분밖에 소환할 수 없고 24시간의 쿨 타임을 가진 능력.

그 용도는 뻔하다.

'공성전.'

신화급 성의 공성전에 참여하는 플레이어들은 전설급 클래스, 장비, 수호령, 펫을 다 갖춘 이들이다.

그런 이들이 적게는 수십, 많게는 수백 이상 싸우는 전장의 추를 뒤집으려면 과연 어느 정도의 전력이 필요할까?

정답은 알 수 없지만, 적어도 중세 랜드에서 감당할 만한 전력이 아니라는 것은 확실하다.

"이놈! 감히 골렘 따위가!"

화려한 옷을 입은 무사가 은은히 빛나는 검을 들고 기가스를 향해 돌진한다.

깡!

"……뭐?"

부러진 검을 들고 망연자실한 표정을 짓고 있는 무사에게 금빛으로 빛나는 기가스가 마치 딱밤을 때리듯 중지를 튕겼다.

퍼억!

"자, 장군님!?"

"이럴 수가…… 장군님이 일격에……."

경악하는 병사들의 모습을 살피다 내 곁으로 다가온 스틸스톤에게 고갯짓한다.

우리가 함께 한 시간이 벌써 20년.

척하면 척인 스틸스톤은 깊게 심호흡하더니 우렁차게 외쳤다.

"모두 무기를 내려놓고 항복해라! 항복하는 이들은 살려 주겠다!"

"개소리! 검을 똑바로 들어라! 황제 폐하께서는 겁쟁이들에게……."

턱.

너무나 가벼운 발소리와 함께 기가스가 내려선다.

귀족으로 보이는 사내의 얼굴이 창백하게 변하고…… 기가스의 눈이 붉게 빛난다.

위잉!

기가스의 머리가 빠르게 한 바퀴 돌고 눈에서 뿜어진 광선 역시 주변의 병사들을 슥 훑고 지나간다.

콰아악!

우르르!

귀족과 녀석을 따르던 병사 수백이 그대로 썰려 무너진다. 그야말로 한순간에 벌어진 일이었다.

"와…… 가차 없네."

나조차 바닥에 쏟아지는 피와 살점에 입을 벌릴 정도.

문제는 그뿐이 아니다.

'저거 한 기가 나보다 세겠는데? 아니 그걸 넘어서…… 스페셜 보스인 얼음 여왕보다도 세 보인다.'

내가 비교적 쉽게 얼음 여왕에게서 승리를 챙겨 내긴 했지만 냉기 저항 90%를 들고 한 전투를 공평하다고 말하긴 어렵다. 어디 그뿐인가? 하늘의 지배자(전설)를 가진 카심을 타고 공중전을 치렀고 신성 포효를 먹이고 시작하기까지 했다. 그렇게 시작하고서도 죽을 뻔했던 것이다.

그런데 그런 얼음 여왕을 뛰어넘는 전력의 기가스가 무려 10대.

과연 신화급을 지킬 만한 전력이었다.

"히익! 히이익!"

"주, 죽었어. 일격에 다……."

"항복! 항복입니다!"

"너! 이런 배신자! 지금."

턱.

고함을 치며 항복한 이를 비난하던 명 제국 무장의 뒤에 기가스가 내려선다.

"이, 괴물……!"

그는 기세를 잃지 않고 검을 뽑았으나.

위잉!

뭘 하기도 전에 광선에 휩쓸렸다.

"으아악!"

"내, 내 다리! 다리가……."

"하, 항복이오! 살려 주시오!"

"화, 황제를 따르겠나이다!"

급변한 지형, 자신들을 겨눈 대포. 그리고 말 그대로 신화적인 힘을 발휘하는 기가스.

광인이 아닌 바에야 감히 저항할 상황이 아니었다. 저항하는 이들이 긴 싸움 끝에 패배한 것도 아니고 눈 깜빡할 사이에 학살되는 모습을 보았으니 더더욱 그렇다.

"폐하!"

"폐하 명령을!"

여기저기서 애타게 소리치는 사람들. 그러나 헌원창은 그 애원에 제대로 응답하지 못했다.

"어떻게……. 어떻게……. 어떻게 이런……."

그저 망연자실한 표정으로 서 있다. 한심한 모습이었지만 역설적이게도 그렇기에 죽지 않고 살아 있다.

그렇게 기세가 꺾인 뒤로는 일사천리다.

"엎드려! 무기 옆으로 던져!"

우리는 병사들의 무기를 빼앗고 녀석들의 상의를 벗겨 만든 끈으로 손발을 묶은 뒤 광장에 늘어놓았다.

성이 신화급까지 업그레이드되자 도시의 규모가 더더욱 커졌기에 수용에는 큰 문제가 없었다.

"폐하! 도로가 엄청나게 넓어! 마차가 네 대는 다닐 수 있을 것 같아!"

“아아…… 그것은 사차선 도로라고 한다. 자동차 네 대가 오갈 수 있지.”

“바닥이 검은색이야! 어디…… 퉤퉤! 맛은 좀 이상하지만 묘하게 푹신해!”

“아아…… 그것은 탄성포장재라고 한다. 탄성이 강하고 충격 흡수가 탁월하지.”

호들갑을 떠는 헤이즈의 말에 대충 대꾸해 주었다. 이 아줌마가 미래에서 회귀하더니 점점 더 태도가 어려지고 있다.

‘겉모습을 따라가는 건지 아니면 본성이 나오는 건지.’

이런저런 생각을 하고 있는데 플라워가 그녀를 나무라는 모습이 보인다.

“헤이즈 님. 황제 폐하께 너무 예의 없게 행동하고 계십니다.”

“앗…… 미안. 사람들 앞에서는 조심할게.”

“제게 사과하실 일이 아니죠.”

“죄송합니다. 황제 폐하.”

예를 표하는 헤이즈의 모습에 웃는다.

“됐으니까 가서 포로 관리나 해. 우리가 이겼어도 그 무림맹주인가 하는 녀석을 감당할 사람은 많지 않은 듯하니까.”

“아…… 하긴 그렇겠네. 명색이 검왕인데 조심해야지. 패배를 인정 못할 정도로 추악한 인간은 아니어도 문제는 생길 수 있으니.”

뜻밖의 단어에 되묻는다.

“……검왕?”

“아. 나중에 붙는 별명이야. 아직은 애송이지.”

헤이즈의 말에 잠시 고민한다.

‘검왕이라.’

너무나 익숙한 이름이다. 소드맨 계열 영웅 클래스의 이름.

즉, 헤이즈와 마찬가지로 검왕 클래스를 부여하면 단박에 소드 마스터가 될지도 모른다는 이야기였지만.

‘그럴 이유는 없지.’

내 부하들에게도 능력을 줄 때 고민하는 상황에, 적이었던 녀석에게 힘을 줄 이유가 없다.

“하여튼 녀석들이나 관리해. 다 바쁜데 정신 사납게 하지 말고.”

“네, 폐하.”

입술을 삐죽이면서도 순순히 광장으로 향하는 헤이즈를 바라보다 내 옆에 서 있는 플라워에게 말했다.

“영주성에 들어가 볼 테니 작업이 대충 마무리되면 정리해서 보고해.”

“영주성…… 아! 탑 말씀이시군요?”

그녀의 말에 도시 중앙에 박혀 있는 30층짜리 건물을 보았다.

확실히 아르데니아 사람의 인식으로는 탑으로밖에 보이지 않을 외향이기는 하다.

"그래. 우선적으로 길드원들이 들어올 수 있도록 처리해 두겠다."

그렇게 말하고 영주성으로 향한다.

강철로 만들어진 골격을 유리와 강화 플라스틱으로 뒤덮은 건물이 저녁노을을 반사해 선연하게 빛나고 있다.

[길드 마스터 한재연. 인증되었습니다.]

영주성에 다가서자 여성의 목소리와 함께 정문이 자동으로 열린다. 들어서자 아무것도 없이 텅 빈 건물 내부가 보인다.

당연한 말이지만 이 건물 안에 이런저런 시설이나 방을 추가하는 것도 다 다이아로 해야 한다.

띵.

어지간한 강당 이상으로 널찍한 공간 한가운데 위치한 엘리베이터에 들어선다.

"집무실로."

[길드 마스터 한재연. 인증되었습니다. 최상층으로 이동합니다.]

몸에 슬쩍 부하가 걸리는가 싶더니 눈앞의 숫자가 32층을 가리킨다.

띵.

엘리베이터가 열리고 집무실에 들어선다.

"……와."

절로 탄성이 나온다. 모든 외벽이 유리로 되어 있는 최상층에서 기가스 랜드 전체의 모습이 내려다보였기 때문이다.

물론 지구에서는 이것 이상의 광경을 많이 보았다. 수학여행 때는 달에 있는 문 시티(Moon City)에도 갔었으니까.

그러나 그것들과 이 도시에는 본질적인 차이가 있으니.

이 도시는 내 것이다.

"멋지군."

창가에 서서 도시를 내려다본다.

신화급 성의 규모는 실로 엄청나다. 원래는 도시 중앙에 하나만 있던 광장이 동부 광장, 서부 광장, 남부 광장, 북부 광장으로 4개가 되었고 그 사이사이를 넓은 도로가 연결하고 있다.

이미 도시의 규모가 너무나 커 도보로 이동하기 불편할 지경.

여기서 성주인 내가 다이아를 사용하면 무인 버스나 트램(노면전차路面電車) 등을 설치할 수 있지만, 당연히 우선 선택지는 아니었다.

"아, 이런 미친……."

나는 성주 메뉴를 살피다 나도 모르게 욕설을 내뱉었다.

그곳에는 이런 글자가 쓰여 있다.

[기가스 제작 공장(전설)]

최상급 철괴 10만 개. 최상급 보석 10만.

최상급 목재 10만 개. 최상급 가죽 10만.

최상급 석재 10만 개. 10억 골드.

5,000,000다이아.

기가 막혀 헛웃음이 나온다.

"아니, 재료가 이렇게 미쳐 돌아가는데…… 거기에 5억 원이 추가로 들어간다고.?"

물론 짐작은 하고 있었다. 전설 성에서 신화 성으로 업그레이드하는 데 드는 비용이 고작, 겨우, 기껏해야 2억에 불과했기 때문이다.

그러나 진짜 2억으로 신화 성을 만들고, 또 그 콘텐츠를 다 쓸 수 있다면 기존의 거대 길드들이 신화 성을 안 만들 이유가 있겠는가?

그냥 2억을 들여 신화 성으로 업그레이드해 봤자 방어 건물과 부가 기능을 구매하지 않으면 다음 공성전에서 바로 성을 뺏길 게 뻔하기에 짓지 않았던 것이다.

어쩌면 이미 신화 성으로 업그레이드 했다가 뺏겨서 초기화된 역사가 있을지도 모르고.

"아. 아아아……."

탄식이 흘러나온다.

"돈 또 언제 벌어……."

아무리 일하고 일해도 모자라고 돈을 벌고 또 벌어도 모자란 게임.

그것이 리벤지.

"어째 성이 싸다 싶더라니……."

등골이 휜다, 진짜.

투덜거리면서도 해야 할 일을 한다. 성 관리 탭에서 출입 조건을 설정하고 도시의 건물 중 일부를 열어 두었다.

'영주성을 원래의 용도로 쓰는 건 불가능해. 답은 창고뿐인가.'

죄다 기본형에 단층인 다른 건물들과 달리 영주성, 정확히는 길드 타워만이 32층짜리로 설정된 건 괜한 이유가 아니다.

'주로 길드원들의 하우징이지.'

그러나 여기에서는 길드 타워를 주거용으로 쓸 수가 없다. 이것들은 현실이 아니라 게임 속 건축물이었기 때문이다.

"여기야 창고로 쓰면 그만이지만 일반 건물들은 어쩐다. 지금까지와는 달리 땅을 파기도 쉽지 않을 텐데…….

건물이랑 바닥도 죄다 금속인 상황에 상하수도를 어떻게 만들지?"

고민하던 난 시설 목록에서 욕실을 발견했다.

"욕실…… 이런 게 있었나?"

잠깐 로그아웃해 확인하니 전설 등급의 성부터 등장하는 시설이다.

'딱 봐도 마지못해 추가한 요소다.'

물론 있을 법한 요소다. 게임 속 하우징에 변기를 굳이 만드는 미친놈은 드물어도 자기 캐릭터의 목욕 장면을 원하는 플레이어는 얼마든지 있을 수 있으니까.

그러나 24시간 내내 자동 사냥을 돌리는 리벤지에 욕실은 무슨 욕실이란 말인가?

아마 원래 기획 의도에는 없는 것을 마지막에 대충 우겨넣은 모양이다. 하기야 그러니 욕실 정도로 간단한 개념이 전설 등급부터 있는 것이겠지.

'가만.'

그런데 문득 떠오르는 생각이 있었다.

'욕실이 있다는 건 상수도와 하수도가 있다는 뜻 아닌가?'

나는 시설을 설치했다.

드드드드!

아무것도 없던 최상층 한편에 격벽이 생겨난다. 가격은 30다이아. 그러니까 3,000원이다.

"……소리가 꽤 멀리까지 났어."

즉, 변형된 것이 이 방 하나뿐이 아니라는 이야기!

쏴아아!

손잡이를 돌리니, 샤워기에서 물이 쏟아진다. 34층까지 상수도가 연결되었다는 뜻. 구매 한방에 성이 통째로 생겨나는 상황에서 따질 건 아니지만 참 현실성이라는 게 없는 장소다.

꼴꼴꼴.

배수구로 물이 빠져나간다. 하수도도 생겼다는 뜻이다.

"여러모로 황당하네. 그래도 이용할 수 있으면 이용해야겠지."

물론 이걸로 도시의 모든 상·하수도를 연결하는 것은 불가능하다. 3천 원은 그리 크지 않은 금액이지만 설치 개수가 천 번, 만 번을 넘어가면 감당할 수 없기 때문이다.

그러나 일단 상·하수도가 마련된다면?

그렇다면 그건 어떻게든 활용할 수 있다. 보기 좀 안 좋겠지만 옆에 구멍이라도 뚫어서 활용할 수 있기 때문이다.

"좋아. 감시탑 설치하고. 5만 원밖에 안 하는 대형 분수도 당연히 설치하고."

가장 필요하고 가성비 좋은 시설을 일괄적으로 설치했다.

리벤지의 대기업들처럼 방어 능력에 미친 듯이 돈을 쏟

아부을 필요는 없었다. 아르데니아에는 다른 플레이어들이 없기 때문이다.

그러나 그럼에도.

"아."

결국, 다이아가 떨어졌다.

"아, 돈이 너무 없어서 뭘 할 수가 없네……."

리벤지의 성주들은 세금으로 몇십만 다이아씩 걷는다는데 나는 벌써 10개가 넘는 성을 먹었음에도 벌이가 하나도 없다.

플레이어들이 거래소나 유료 서비스를 사용할 때마다 일정량의 세금을 거두는 게 리벤지의 시스템인데 아르데니아에는 과금 유저가 단 한 명도 없기 때문이다.

"그래. 뭐 결국 내가 다 벌어야지."

한숨 쉬고 있을 때였다.

플라워 : 폐하. 들어가겠습니다.

플라워가 채팅을 보내 왔다.

띵-

답장을 보내자마자 기다렸다는 듯 엘리베이터가 열린다.

"……."

언제나 차분한 플라워였지만 한눈에 내려다보이는 도

시의 정경은 그녀에게도 압도적이었던지 잠시 멍하니 서 있다.

잠시 후, 뒤늦게 정신을 차린 플라워가 얼굴을 붉히고는 보고를 시작했다.

"대략적인 확인이 끝났습니다. 백만 대군이라곤 하지만 실제 인원은 그 절반 정도더군요."

그렇다 하더라도 오십만이니 절대 적은 숫자가 아니다. 리벤지가 나타나기 직전 명의 총인구가 6,000만 정도였으니 인구의 1% 정도가 이곳까지 이동해 온 셈이다.

"그리고 병사와 전사의 수는 그 오분의 일밖에 되지 않습니다. 죽은 병사들의 제복을 걸치기만 한 수준이고 오랜 행군과 전투로 영양 상태도 좋지 않지요."

"우리를 한 번에 잡아먹으려던 것도 나름대로 필사의 도박이었다는 말이군."

"그렇습니다. 헌드레드 님께서 녀석들의 물자를 징발하셨는데 그 양이 상당하긴 해도 저만한 숫자라면 열흘도 버티기 힘들 정도라고 합니다."

물론 굶주림을 못 버텨 명 제국의 잔당들이 멸망하거나 하는 일은 일어나지 않았을 것이다.

아마 쓸모없는 순서대로 칼받이로 써먹거나 떼어 놓고 왔겠지.

어쩌면 이미 그렇게 한 결과가 지금일지도 모른다. 50만이나 되는 저 엄청난 인원 속에…… 노안과 아이는 거의 보이지 않았으니까.

"물은 먹였겠지?"

"대기하고 있던 광장에 분수가 생겨나 어려움은 없었습니다. 물론 그 과정에 다소의 소란이 있기는 했습니다만."

하기야 아무것도 없던 광장 바닥에서 대형 분수가 솟아났으니 포로들이 많이 놀랐을 것이다.

"그래…… 그럼 일단 뭘 좀 먹여야겠군. 녀석들이 가지고 있던 식료품들은 어떤 종류지?"

"여기 목록입니다."

나는 플라워에게 종이로 만든 서책을 받았다.

50만 명이 열흘을 먹을 수 있는 분량.

엄청난 양이었지만 대부분이 무나 배추 같은 채소였고 고구마도 감자도 아닌 정체불명의 뿌리 식물이 한가득이었다. 고기는 당연히 드물어 귀족들이나 먹을 정도. 그나마 곡물들이 꽤 있어서 다행이다.

"충분하겠군. 고기를 팍팍 넣어서 스튜를 끓여. 일단 배를 채워 준 후 병사, 기술자, 단순 노동자로 분류해. 마나 능력자들은 산산이 흩어서 정예병 사이에 섞어 두고. 그리고……."

지시를 내린다.

다행히 플라워는 눈치가 빠르고 명민해 대략적인 방향성만 잡아 줘도 훌륭히 일 처리를 해 낸다.

'업무가 너무 과중됐어. 인원을 더 뽑고 지구의 행정 업

무 서적 같은 걸 옮겨 써 교과서로 만들어야겠다.'

물론 아직은 그 과정이 그리 어렵지 않으리라. 일이 복잡하지 않아서가 아니라 한 길드 아니, 인류제국의 황권은 너무나도 강력해 감히 그 통제에 반발할 사람이 없기 때문이다.

'독재. 아니 독재 그 이상이다.'

지금 인류제국의 재정, 무력, 영토 모두가 황제인 내 손에 들려 있고 그것에 위협이 되는 세력조차 없다. 역사적으로도 이만한 권력을 가진 황제는 드물었으리라.

'아, 무력.'

거기까지 생각이 진행되자 문득 떠오르는 것이 있었다.

"그러고 보니 플라워."

"네, 폐하."

"카심은 어떻지?"

내 말에 플라워의 얼굴이 어두워진다.

"전혀 통제되지 않습니다."

"정확히 말하자면?"

"명령을 듣지 않습니다. 강제로 명령을 내리면 적의를 드러내기까지 합니다."

"……."

지금까지 없던 반응에 고민에 빠진다. 이미 플레이어 중 펫을 쓰는 사람이 많았지만 이런 경우는 없었다.

'뭔가 다른 펫들과 차이점이 있나?'

짐작되는 것은 두 가지다.

'첫째로, 격 차이 때문일 수 있어.'

플라워를 비롯한 간부들의 능력은 좋게 봐 줘도 희귀급에 불과하다. 아직 완성자의 경지에 이르지 못했으니 당연한 일.

전설급인 카심과는 너무 큰 차이가 나서 명령이 듣지 않는 게 아닐까? 만일 그렇다면 펫을 합성해서 신화급을 뽑는 것도 위험할 수 있겠지.

그러나 이 가설에는 빈틈이 있다.

'소드 마스터인 헤이즈의 말도 안 들었어. 게다가…… 말을 안 들으면 안 듣는 거지 내 명령을 듣는 건 아무래도 이상하다.'

던전에서 카심을 한 번에 소환했을 때 녀석들은 주인의 말은 들은 체 만 체하더니 내 명령에는 반응했다.

그렇다면, 두 번째 가설이 힘을 얻는다.

'여전히 주인은 나이기에 벌어지는 일일 수 있어.'

카심은 다른 펫들과 약간 다른 케이스다. 다이아를 써서 구매한 것도, 명예 코인으로 산 것도 아닌 펫.

최초 내가 소유하고 있던 펫을 [복구 신청]으로 증식시킨 경우니 어쩌면 주인이 나라고 인식하고 있을지도 모른다.

"……좋아. 너는 가급적 소환하지 말도록 해. 혹여 돌발 행동을 보이면 위험할 수도 있으니."

"네, 폐하."

정중히 예를 표하고 엘리베이터에 탄다. 저런 물건을 난생처음 보았을 텐데 침착하게 이용하는 모습은 감탄스럽기까지 하다.

"뭐, 그럼."

나는 플라워를 보낸 뒤 수호령 창을 열었다. 팡파레 소리와 함께 금색의 텍스트가 눈앞에 떠올랐다.

[화점을 정복하셨습니다! 신화 합성이 해금됩니다!]

[이제부터 전설 카드(클래스, 수호령, 펫)를 합성해 신화 카드를 얻을 수 있습니다!]

※화점의 길드 마스터 지위를 상실할 시 신화 카드를 사용할 수 없거나 사용에 제한이 걸릴 수 있습니다.

합성. 컬렉션에 등록되고 또다시 뽑게 된 동일 등급의 카드 4장을 합쳐 상위 카드를 얻어 내는 콘텐츠.

사실 나는 합성을 거의 하지 않는 편이다. 이미 컬렉션에 등록한 저등급 카드가 아무짝에도 쓸데없는 리벤지의 플레이어들과 다르게 카드를 타인에게 넘길 수 있는 아르데니아에서는 카드가 부족하고 또 부족했기 때문이다.

"신화."

그러나 네메시스가 유저 간담회 때 뿌린 전설 등급의 수호령과 펫. 그리고 한 달 세 번의 복구 신청은 내가 그

위의 영역을 노릴 수 있게 만들어 주었다.

번쩍!

여신상이 경악한 듯 눈을 크게 뜬다. 뽑기 때라면 심장이 떨릴 만한 광경이겠지만 지금은 정색하게 되는 광경.

"잠깐…… 아직 모르나? 아닌가?"

소환석은 황금색으로 빛나고 있지만, 이것만으로는 알 수 없다. 황금빛은 영웅 등급부터 나기 시작하기 때문이다.

이제 이 소환석을 들어 올리면 그 정체가 드러나고 그 등급이 영웅급이면 금빛 속에서 보라색이 터져 나오고 전설급이면 더욱 환한 금빛이 터져 나온다.

그리고 신화급은.

"아, 맞아. 꽝이구나."

나는 검신 클래스를 얻었을 때를 떠올렸다. 그러고 보니 카드가 검으로 바뀔 때부터 이미 오색으로 빛나고 있었다.

구구구……!

–마음을 가라앉혀라. 극한의 격렬함은 가장 고요한 곳에서 시작되나니.

–검이 뽑혔을 때 너의 모든 것이 한 줄기 섬광이 되리라.

그럴싸한 문구. 나는 수호령을 확인했다.

사이클롭스 사무라이(수호령)
깨달은 예하탈(전설).

"쾅. 뭐, 그래도 각성 썬더버드보다는 훨씬 나은가."

똑같은 전설급이어도 리벤지의 유저들에겐 엘리트 몬스터에 불과한 사이클롭스 사무라이보다는 각성 썬더버드가 훨씬 가치가 높았다. 애초에 합성 확률부터 다르다고 하니 더 말할 필요도 없겠지.

그러나 마법사도 아니고 뇌속성 차크라를 각성하지도 못한 내게 번개의 힘보다는 근접 공격을 보조하는 수호령이 훨씬 가치 있다.

컬렉션 완성!
외눈의 절세검사(깨달은 예하탈) 근력+2
고대의 거인들(네버다이. 깨달은 예하탈)근력+5
기기괴괴(오우거. 트롤. 깨달은 예하탈) 근력+3

"오."

사이클롭스 사무라이 한 장 얻어 낸 것만으로 근력이 10이나 올랐다. 척 봐도 이 예하탈이라는 녀석의 아이덴티티가 뭔지 알 만하다.

수호령이 변경되었습니다!

각성 썬더버드(전설) -> 깨달은 예하탈(전설)

나는 새로 장착한 수호령의 설명을 확인했다.

[깨달은 예하탈(전설)]

끝없는 명상과 참오의 나날.

예하탈은 지나치다 여겼던 괴력과 어찌 다뤄야 할지 몰랐던 영성을 온전히 다룰 수 있게 되었다는 사실을 알았다.

5레벨 - 생명력+30.

10레벨 - 마나력+30. 근력 +30.

15레벨 - 근력+30.

20레벨 - 체력+30. 민첩+30. 근력 +30.

25레벨 - 민첩+30.

30레벨 - 마나+30. 마나 회복력+30. 생명력+30. 일섬(一閃).

35레벨 - 마나력+30.

40레벨 - 근력+40. 체력+40. 민첩+40. 극(極). 일섬(一閃).

"오. 스텟들이 참 마음에 든."

뿌득!

문득 몸이 뒤틀린다.

"윽?"

깜짝 놀라 몸을 웅크린다. 당장이라도 온몸이 터질 것 같다.

뿌득! 뿌득! 뿌드득!

근육들이 풍선처럼 부푼다. 뒤틀리고 수축하였다가 팽창하기를 반복한다. 나는 스텟을 확인했다.

그리고 이 난리의 원인을 알았다.

"근력이 700포인트를 넘겼어."

999의 스텟은 흔히 한계 스텟이라고 한다. 어떤 종으로서의 한계가 아니라 [모든] 존재들이 가지는 한계.

쉽게 말해 드래곤이나 고대 거신족들도 900포인트 이상의 근력을 가진 경우가 잘 없다는 말이다. 900포인트 이상의 근력은 어떻게든 [초월]의 힘을 가져야만 돌파할 수 있고 1,000포인트 이상의 근력은 [권능]의 보조가 있어야만 도달 가능한 경지.

'물론 이 모든 건 게임의 신. 게임 마스터님의 관점일 뿐이지만 말이야.'

어쨌든 중요한 건 700포인트의 근력이 가지는 의미다. 아무리 근력이 물리적인 힘이라지만 이 정도 선에 도달하면 그 자체로 신비의 영역이라는 것.

게임에서야 물리 데미지가 좀 늘고 말았지만, 현실에서는 어떨까?

"후."

근육이 진정된 후 자리에서 일어난다.

쿵!

"앗."

그만 천장에 머리를 박고 말았다. 일어나기 위한 근육의 수축과 팽창이 몸을 위로 던져 버렸기에 벌어진 일이었다.

아마 남들이었다면 변한 육체 능력에 엄청나게 헤맸겠지만.

나는 시청의 공식 선별사들조차 제대로 이해하지 못한 능력. [불가해한 신체 제어]의 소유자였다.

"죽이는군."

온몸이 날아갈 것 같다. 지금이라면 굳이 내공 없어도 소드 마스터쯤은 그냥 때려죽일 수 있을 것 같을 정도.

나는 후회했다.

"아, 펫 말고 수호령을 중심으로 받을걸."

나는 복구 신청을 썬더버드가 아니라 카심을 중심으로 받아 두었다. 비상 사태 때 부하들에게 넘겨 즉시 사용할 수 있는 카심을 잔뜩 쟁여 둔 것.

실제로 그 판단은 옳아서 수천 명 이상 더 죽었어야 할 던전 공략을 여섯 발의 신성 포효로 끝내 버릴 수 있었지만 아무리 생각해도 나머지를 다 펫으로 가져온 건 실수였다.

신화급 수호령을 끼기만 한다면 난!

"……아냐. 신화급 펫도 엄청난 건 매한가지다."

고개를 흔들어 유성룡을 떠올린다. 그렇다. 신화급 펫 정도 되면 그 정도 수준이다. 용종을 포함한 환상종들. 대우주에서도 귀족이라 불리는 신화급 존재들이 내 펫이 되는 것이다.

그러니 합성한다!

구구구……!

–그것이 생물이라는 것을 도저히 믿을 수 없었다.

–저 거대한 괴물이 땅속을 헤엄쳐 다니다니!

[그레이트 어스 웜 흑산(전설)]

합성한다.

–맹렬히 불타는 갈기가 실로 위엄차구나!

–감히 우리가 저 존재와 소통할 수 있을까?

[최상급 불꽃 정령 셀라이온(전설)]

합성한다.

합성하고.

다시 합성한다.

그리고 그 결과.

"……그래, 이럴 줄 알고 있었어."

나는 흥분하지 않기로 했다. 전혀 놀랄 일이 아니다.

"알고 있었다고."

신화 합성이 가능해졌다는 것이지 합성하면 무조건 신화가 나온다는 뜻이 아니다. 리벤지가 어떤 게임인데 멋대로 기대한단 말인가?

"아니, 후……."

가만히 서 도시를 내려다본다.

스무 장이 넘던 전설이.

"시발."

몇 장의 전설이 되었다.

(열일하는 과금 기사 5권에서 계속)

환상이 숨쉬는 공간 파피루스 blog.naver.com/gnpdl7
검귀의선, 마안신창기, 창천수라
그 아성을 잇는 새로운 이야기
『풍운마제』
마의 정점 십마천, 그곳의 주인
마도지존 혈풍마제
믿었던 수하에게 배신당해 죽었지만……
"누구냐? "
"접니다. 명한."
새롭게 눈을 뜬 세상은, 자신이 죽은 직후!
혈풍마제 진은천은 사라졌지만
풍귀 연강이 되어, 하오문을 평정해
십마천의 배신자를 쓸어 버리겠다!
풍귀의 자유분방한 행보를 주목하라!
임하민 신무협 장편소설
풍운마제
風雲魔帝

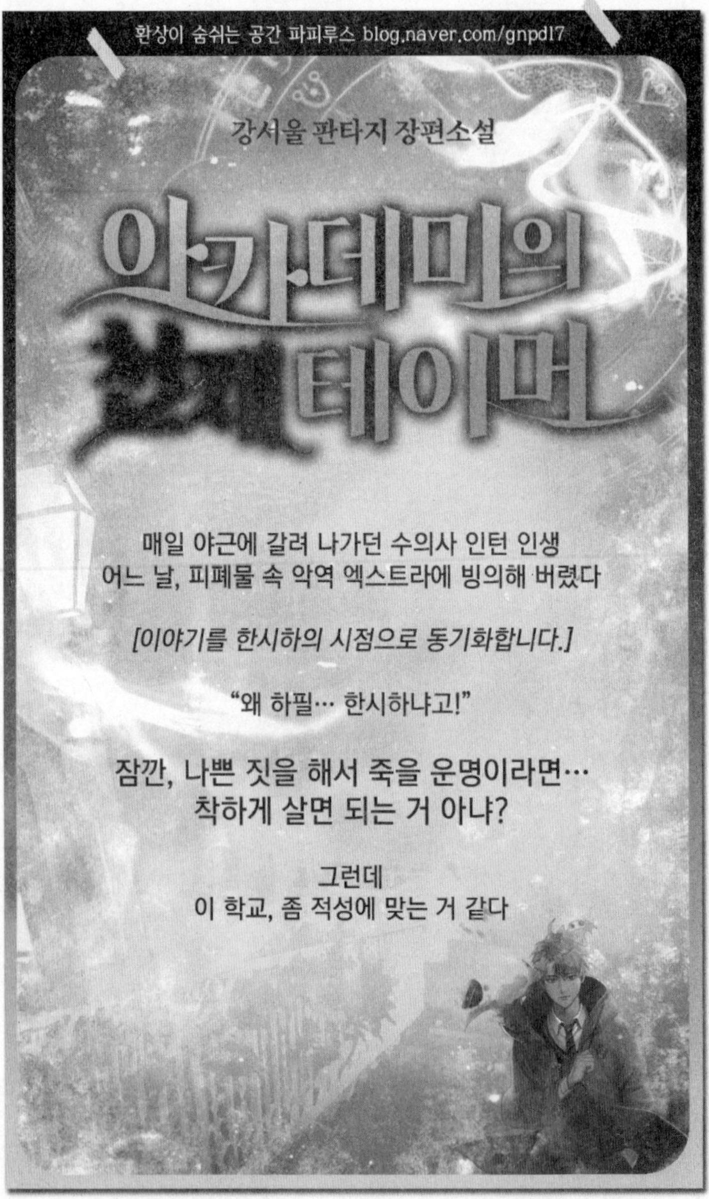

환상이 숨쉬는 공간 파피루스 blog.naver.com/gnpdl7
강서울 판타지 장편소설
아카데미의
테이머
매일 야근에 갈려 나가던 수의사 인턴 인생
어느 날, 피폐물 속 악역 엑스트라에 빙의해 버렸다
[이야기를 한시하의 시점으로 동기화합니다.]
“왜 하필… 한시하냐고!”
잠깐, 나쁜 짓을 해서 죽을 운명이라면…
착하게 살면 되는 거 아냐?
그런데
이 학교, 좀 적성에 맞는 거 같다